W9-BWI-701

ANATOLE FRANCE
LES DIEUX
ONT SOIF
Le
LIVRE
de
POCHE
Texte intégral

LES DIEUX ONT SOIF

ŒUVRES D'ANATOLE FRANCE

Chez Calmann-Lévy, Éditeur :

LES POÈMES DORÉS.
LES NOCES CORINTHIENNES.
JOCASTE ET LE CHAT MAIGRE.
LE CRIME DE SYLVESTRE BONNARD.
LES DÉSIRS DE JEAN SERVIEN.
LE LIVRE DE MON AMI.
LA VIE LITTÉRAIRE (5 séries).
BALTHAZAR.
THAÏS.
L'ÉTUI DE NACRE.
LA RÔTISSERIE DE LA REINE PÉDAUQUE.
LES OPINIONS DE M. JÉRÔME COIGNARD.
LE LYS ROUGE.
LE JARDIN D'ÉPICURE.
LE PUITS DE SAINTE-CLAIRE.

HISTOIRE CONTEMPORAINE :

L'ORME DU MAIL.
LE MANNEQUIN D'OSIER.
L'ANNEAU D'AMÉTHYSTE.
M. BERGERET A PARIS.

PIERRE NOZIÈRE.
HISTOIRE COMIQUE.
CRAINQUEBILLE, PUTOIS, RIQUET.
SUR LA PIERRE BLANCHE.
LES CONTES DE JACQUES TOURNEBROCHE.
LA VIE DE JEANNE D'ARC.
L'ÎLE DES PINGOUINS.
LES SEPT FEMMES DE LA BARBE BLEUE.
LES DIEUX ONT SOIF.
LE GÉNIE LATIN.
LA RÉVOLTE DES ANGES.
LE PETIT PIERRE.
LA VIE EN FLEUR.

VERS LES TEMPS MEILLEURS, trente ans de vie sociale, publié par Claude Aveline et Henriette Psichari (trois volumes parus — Emile-Paul, Éditeur).

Dans Le Livre de Poche :

LA RÔTISSERIE DE LA REINE PÉDAUQUE.
L'ÎLE DES PINGOUINS.
LE MANNEQUIN D'OSIER.
LE LYS ROUGE.
L'ANNEAU D'AMÉTHYSTE.
L'ORME DU MAIL.
MONSIEUR BERGERET A PARIS.
LE CRIME DE SYLVESTRE BONNARD.
LES CONTES DE JACQUES TOURNEBROCHE.

ANATOLE FRANCE
DE L'ACADÉMIE FRANÇAISE

Les dieux ont soif

CALMANN-LÉVY

I

Évariste Gamelin, peintre, élève de David, membre de
section du Pont-Neuf, précédemment section Henri IV,
était rendu de bon matin à l'ancienne église des Bar-
bites, qui depuis trois ans, depuis le 21 mai 1790,
rvait de siège à l'assemblée générale de la section. Cette
glise s'élevait sur une place étroite et sombre, près de la
ille du Palais. Sur la façade, composée de deux ordres
assiques, ornée de consoles renversées et de pots à feu,
tristée par le temps, offensée par les hommes, les emblèmes
ligieux avaient été martelés et l'on avait inscrit en lettres
oires au-dessus de la porte la devise républicaine :
Liberté, Égalité, Fraternité ou la Mort. " Évariste
amelin pénétra dans la nef : les voûtes, qui avaient
tendu les clercs de la congrégation de Saint-Paul chanter
rochet les offices divins, voyaient maintenant les
triotes en bonnet rouge assemblés pour élire les magis-
ats municipaux et délibérer sur les affaires de la section.
s saints avaient été tirés de leurs niches et remplacés par
s bustes de Brutus, de Jean-Jacques et de Le Peltier. La
ble des Droits de l'Homme se dressait sur l'autel
pouillé.

C'est dans cette nef que, deux fois la semaine, de cinq
ures du soir à onze heures, se tenaient les assemblées
bliques. La chaire, ornée du drapeau aux couleurs de la
tion, servait de tribune aux harangues. Vis-à-vis. du

côté de l'Épitre, une estrade de charpentes grossière
s'élevait, destinée à recevoir les femmes et les enfants, qu
venaient en assez grand nombre à ces réunions. Ce matin
là, devant un bureau, au pied de la chaire, se tenait, e
bonnet rouge et carmagnole, le menuisier de la place d
Thionville, le citoyen Dupont aîné, l'un des douze d
Comité de surveillance. Il y avait sur le bureau une bou
teille et des verres, une écritoire et un cahier de papie
contenant le texte de la pétition qui invitait la Conventio
à rejeter de son sein les vingt-deux membres indigne

Évariste Gamelin prit la plume et signa.

" Je savais bien, dit le magistrat artisan, que tu viendra
donner ton nom, citoyen Gamelin. Tu es un pur. Mais l
section n'est pas chaude; elle manque de vertu. J'ai pro
posé au Comité de surveillance de ne point délivrer d
certificat de civisme à quiconque ne signerait pas la pét
tion.

— Je suis prêt à signer de mon sang, dit Gamelin,
proscription des traîtres fédéralistes. Ils ont voulu la mo
de Marat : qu'ils périssent.

— Ce qui nous perd, répliqua Dupont aîné, c'e
l'indifférentisme. Dans une section, qui contient neu
cents citoyens ayant droit de vote, il n'y en a pas cinquan
qui viennent à l'assemblée. Hier nous étions vingt-hui

— Eh bien! dit Gamelin, il faut obliger, sous pein
d'amende, les citoyens à venir.

— Hé! Hé! fit le menuisier en fronçant le sourcil, s'i
venaient tous, les patriotes seraient en minorité... Citoye
Gamelin, veux-tu boire un verre de vin à la santé des bo
sans-culottes?... "

Sur le mur de l'église, du côté de l'Évangile, on lisa
ces mots accompagnés d'une main noire dont l'ind
montrait le passage conduisant au cloître : *Comité civ.*
Comité de surveillance, *Comité de bienfaisance*. Quelques p
plus avant, on atteignait la porte de la ci-devant sacristi

que surmontait cette inscription : *Comité militaire*. Gamelin la poussa et trouva le secrétaire du Comité qui écrivait sur une grande table encombrée de livres, de papiers, de lingots d'acier, de cartouches et d'échantillons de terres salpêtrées.

" Salut, citoyen Trubert. Comment vas-tu?

— Moi?... je me porte à merveille. "

Le secrétaire du Comité militaire, Fortuné Trubert, faisait invariablement cette réponse à ceux qui s'inquiétaient de sa santé, moins pour les instruire de son état que pour couper court à toute conversation sur ce sujet. Il avait, à vingt-huit ans, la peau aride, les cheveux rares, les pommettes rouges, le dos voûté. Opticien sur le quai des Orfèvres, il était propriétaire d'une très ancienne maison qu'il avait cédée en 91 à un vieux commis pour se dévouer à ses fonctions municipales. Une mère charmante, morte à vingt ans et dont quelques vieillards, dans le quartier, gardaient le touchant souvenir, lui avait donné ses beaux yeux doux et passionnés, sa pâleur, sa timidité. De son père, ingénieur opticien, fournisseur du roi, emporté par le même mal avant sa trentième année, il tenait un esprit juste et appliqué. Sans s'arrêter d'écrire :

" Et toi, citoyen, comment vas-tu?

— Bien. Quoi de nouveau?

— Rien, rien. Tu vois : tout est bien tranquille ici.

— Et la situation?

— La situation est toujours la même. "

La situation était effroyable. La plus belle armée de la République investie dans Mayence; Valenciennes assiégée; Fontenay pris par les Vendéens; Lyon révolté; les Cévennes insurgées, la frontière ouverte aux Espagnols; les deux tiers des départements envahis ou soulevés; Paris sous les canons autrichiens, sans argent, sans pain.

Fortuné Trubert écrivait tranquillement. Les sections étant chargées par arrêté de la Commune d'opérer la levée de douze mille hommes pour la Vendée, il rédigeait des instructions relatives à l'enrôlement et l'armement du contingent que le " Pont-Neuf ", ci-devant " Henri IV ", devait fournir. Tous les fusils de munition devaient être délivrés aux réquisitionnaires. La garde nationale de la section serait armée de fusils de chasse et de piques.

" Je t'apporte, dit Gamelin, l'état des cloches qui doivent être envoyées au Luxembourg pour être converties en canons. "

Évariste Gamelin, bien qu'il ne possédât pas un sou, était inscrit parmi les membres actifs de la section : la loi n'accordait cette prérogative qu'aux citoyens assez riches pour payer une contribution de la valeur de trois journées de travail; et elle exigeait dix journées pour qu'un électeur fût éligible. Mais la section du Pont-Neuf, éprise d'égalité et jalouse de son autonomie, tenait pour électeur et pour éligible tout citoyen qui avait payé de ses deniers son uniforme de garde national. C'était le cas de Gamelin, qui était citoyen actif de sa section et membre du Comité militaire.

Fortuné Trubert posa sa plume :

" Citoyen Évariste, va donc à la Convention demander qu'on nous envoie des instructions pour fouiller le sol des caves, lessiver la terre et les moellons et recueillir le salpêtre. Ce n'est pas tout que d'avoir des canons, il faut aussi de la poudre. "

Un petit bossu, la plume à l'oreille et des papiers à la main, entra dans la ci-devant sacristie. C'était le citoyen Beauvisage, du Comité de surveillance.

" Citoyens, dit-il, nous recevons de mauvaises nouvelles : Custine a évacué Landau.

— Custine est un traître! s'écria Gamelin.

— Il sera guillotiné ", dit Beauvisage.

Trubert, de sa voix un peu haletante, s'exprima avec son calme ordinaire :

“ La Convention n’a pas créé un Comité de salut public pour des prunes. La conduite de Custine y sera examinée. Incapable ou traître, il sera remplacé par un général résolu à vaincre, et *ça ira*! ”

Il feuilleta des papiers et y promena le regard de ses yeux fatigués :

“ Pour que nos soldats fassent leur devoir sans trouble ni défaillance, il faut qu’ils sachent que le sort de ceux qu’ils ont laissés dans leur foyer est assuré. Si tu es de cet avis, citoyen Gamelin, tu demanderas avec moi, à la prochaine assemblée, que le Comité de bienfaisance se concerte avec le Comité militaire pour secourir les familles indigentes qui ont un parent à l’armée. ”

Il sourit et fredonna :

“ Ça ira! ça ira!... ”

Travaillant douze et quatorze heures par jour, devant sa table de bois blanc, à la défense de la patrie en péril, cet humble secrétaire d’un comité de section ne voyait point de disproportion entre l’énormité de la tâche et la petitesse de ses moyens, tant il se sentait uni dans un commun effort à tous les patriotes, tant il faisait corps avec la nation, tant sa vie se confondait avec la vie d’un grand peuple. Il était de ceux qui, enthousiastes et patients, après chaque défaite, préparaient le triomphe impossible et certain. Aussi bien leur fallait-il vaincre. Ces hommes de rien, qui avaient détruit la royauté, renversé le vieux monde, ce Trubert, petit ingénieur opticien, cet Évariste Gamelin, peintre obscur, n’attendaient point de merci de leurs ennemis. Ils n’avaient de choix qu’entre la victoire et la mort. De là leur ardeur et leur sérénité.

II

Au sortir des Barnabites, Évariste Gamelin s'achemina vers la place Dauphine, devenue place de Thionville, en l'honneur d'une cité inexpugnable.

Située dans le quartier le plus fréquenté de Paris, cette place avait perdu depuis près d'un siècle sa belle ordonnance : les hôtels construits sur les trois faces, au temps de Henri IV, uniformément en brique rouge avec chaînes de pierre blanche, pour des magistrats magnifiques, maintenant, ayant échangé leurs nobles toits d'ardoise contre deux ou trois misérables étages en plâtras, ou même rasés jusqu'à terre et remplacés sans honneur par des maisons mal blanchies à la chaux, n'offraient plus que des façades irrégulières, pauvres, sales, percées de fenêtres inégales, étroites, innombrables, qu'égayaient des pots de fleurs, des cages d'oiseaux et des linges qui séchaient. Là, logeait une multitude d'artisans, bijoutiers, ciseleurs, horlogers, opticiens, imprimeurs, lingères, modistes, blanchisseuses, et quelques vieux hommes de loi qui n'avaient point été emportés dans la tourmente avec la justice royale.

C'était le matin et c'était le printemps. De jeunes rayons de soleil, enivrants comme du vin doux, riaient sur les murs et se coulaient gaiement dans les mansardes. Les châssis des croisées à guillotine étaient tous soulevés et l'on voyait au-dessous les têtes échevelées des ménagères. Le greffier du tribunal révolutionnaire. sorti de la maison pour se rendre à son poste, tapotait en passant les joues des enfants qui jouaient sous les arbres. On entendait crier sur le Pont-Neuf la trahison de l'infâme Dumouriez.

Évariste Gamelin habitait, sur le côté du quai de l'Horloge, une maison qui datait de Henri IV et aurait fait encore assez bonne figure sans un petit grenier couvert de tuiles dont on l'avait exhaussée sous l'avant-dernier tyran. Pour approprier l'appartement de quelque vieux parlementaire aux convenances des familles bourgeoises et artisanes qui y logeaient, on avait multiplié les cloisons et les soupentes. C'est ainsi que le citoyen Remacle, concierge-tailleur, nichait dans un entresol fort abrégé en hauteur comme en largeur, où on le voyait par la porte vitrée, les jambes croisées sur son établi et la nuque au plancher, cousant un uniforme de garde national, tandis que la citoyenne Remacle, dont le fourneau n'avait pour cheminée que l'escalier, empoisonnait les locataires de la fumée de ses ragoûts et de ses fritures, et que, sur le seuil de la porte, la petite Joséphine, leur fille, barbouillée de mélasse et belle comme le jour, jouait avec Mouton, le chien du menuisier. La citoyenne Remacle, abondante de cœur, de poitrine et de reins, passait pour accorder ses faveurs à son voisin le citoyen Dupont aîné, l'un des douze du Comité de surveillance. Son mari, tout du moins, l'en soupçonnait véhémentement et les époux Remacle emplissaient la maison des éclats alternés de leurs querelles et de leurs raccommodements. Les étages supérieurs de la maison étaient occupés par le citoyen Chaperon, orfèvre, qui avait sa boutique sur le quai de l'Horloge, par un officier de santé, par un homme de loi, par un batteur d'or et par plusieurs employés du Palais.

Évariste Gamelin monta l'escalier antique jusqu'au quatrième et dernier étage, où il avait son atelier avec une chambre pour sa mère. Là finissaient les degrés de bois garnis de carreaux qui avaient succédé aux grandes marches de pierre des premiers étages. Une échelle, appliquée au mur, conduisait à un grenier d'où descendait pour lors un gros homme assez vieux, d'une belle figure rose et fleurie, qui tenait péniblement embrassé un énorme ballot, et fredonnait toutefois : *J'ai perdu mon serviteur.*

S'arrêtant de chantonner, il souhaita courtoisement le bonjour à Gamelin, qui le salua fraternellement et l'aida à descendre son paquet, ce dont le vieillard lui rendit grâces.

“ Vous voyez là, dit-il en reprenant son fardeau, des pantins que je vais de ce pas livrer à un marchand de jouets de la rue de la Loi. Il y en a ici tout un peuple : ce sont mes créatures; elles ont reçu de moi un corps périssable, exempt de joies et de souffrances. Je ne leur ai pas donné la pensée, car je suis un Dieu bon. ”

C'était le citoyen Maurice Brotteaux, ancien traitant, ci-devant noble : son père, enrichi dans les partis, avait acheté une savonnette à vilain. Au bon temps, Maurice Brotteaux se nommait monsieur des Ilettes et donnait, dans son hôtel de la rue de la Chaise, des soupers fins que la belle madame de Rochemaure, épouse d'un procureur, illuminait de ses yeux, femme accomplie, dont la fidélité honorable ne se démentit point tant que la Révolution laissa à Maurice Brotteaux des Ilettes ses offices, ses rentes, son hôtel, ses terres, son nom. La Révolution les lui enleva. Il gagna sa vie à peindre des portraits sous les portes cochères, à faire des crêpes et des beignets sur le quai de la Mégisserie, à composer des discours pour les représentants du peuple et à donner des leçons de danse aux jeunes citoyennes. Présentement, dans son grenier, où l'on se coulait par une échelle et où l'on ne pouvait se tenir debout, Maurice Brotteaux, riche d'un pot de colle, d'un paquet de ficelles, d'une boîte d'aquarelle et de quelques rognures de papier, fabriquait des pantins qu'il vendait à de gros marchands de jouets, qui les revendaient aux colporteurs, qui les promenaient par les Champs-Élysées, au bout d'une perche, brillants objets des désirs des petits enfants. Au milieu des troubles publics et dans la grande infortune dont il était lui-même accablé, il gardait une âme sereine, lisant pour se récréer son Lucrèce, qu'il portait constamment dans la poche béante de sa redingote puce.

Évariste Gamelin poussa la porte de son logis, qui céda tout de suite. Sa pauvreté lui épargnait le souci des serrures, et quand sa mère, par habitude, tirait le verrou, il lui disait : " A quoi bon? On ne vole pas les toiles d'araignée... et les miennes pas davantage. " Dans son atelier s'entassaient, sous une couche épaisse de poussière ou retournées contre le mur, les toiles de ses débuts, alors qu'il traitait, selon la mode, des scènes galantes, caressait d'un pinceau lisse et timide des carquois épuisés et des oiseaux envolés, des jeux dangereux et des songes de bonheur, troussait des gardeuses d'oies et fleurissait de roses le sein des bergères.

Mais cette manière ne convenait point à son tempérament. Ces scènes, froidement traitées, attestaient l'irrémédiable chasteté du peintre. Les amateurs ne s'y étaient pas trompés et Gamelin n'avait jamais passé pour un artiste érotique. Aujourd'hui, bien qu'il n'eût pas encore atteint la trentaine, ces sujets lui semblaient dater d'un temps immémorial. Il y reconnaissait la dépravation monarchique et l'effet honteux de la corruption des cours. Il s'accusait d'avoir donné dans ce genre méprisable et montré un génie avili par l'esclavage. Maintenant, citoyen d'un peuple libre, il charbonnait d'un trait vigoureux des Libertés, des Droits de l'Homme, des Constitutions françaises, des Vertus républicaines, des Hercules populaires terrassant l'Hydre de la Tyrannie, et mettait dans toutes ces compositions toute l'ardeur de son patriotisme. Hélas! il n'y gagnait point sa vie. Le temps était mauvais pour les artistes. Ce n'était pas, sans doute, la faute de la Convention, qui lançait de toutes parts des armées contre les rois, qui, fière, impassible, résolue devant l'Europe conjurée, perfide et cruelle envers elle-même, se déchirait de ses propres mains, qui mettait la terreur à l'ordre du jour, instituait pour punir les conspirateurs un tribunal impitoyable auquel elle allait donner bientôt ses membres à dévorer, et qui dans le même temps, calme, pensive, amie de la science et de la beauté, réformait le calendrier, créait des écoles spéciales, décrétait des concours de peinture et de sculpture, fondait des prix pour encourager les artistes, organisait des salons annuels, ouvrait le Muséum et, à l'exemple d'Athènes et de Rome, imprimait un caractère sublime à la célébration des fêtes et des deuils publics. Mais l'art français, autrefois si répandu en Angleterre, en Allemagne, en Russie, en Pologne, n'avait plus de débouchés à l'étranger. Les amateurs de peinture, les curieux d'art, grands seigneurs et financiers, étaient ruinés, avaient émigré ou se cachaient. Les gens que la Révolution avait enrichis, paysans acquéreurs de biens nationaux, agioteurs, fournisseurs aux armées, croupiers du Palais-Royal, n'osaient encore montrer leur opulence et, d'ailleurs, ne se souciaient point de peinture. Il fallait ou la réputation de Regnault ou l'adresse du jeune Gérard pour vendre un tableau. Greuze, Fragonard, Houin étaient réduits à l'indigence. Prud'hon nourrissait péniblement sa femme et ses enfants en dessinant des sujets que Copia gravait au pointillé. Les peintres patriotes Hennequin, Wicar, Topino-Lebrun souffraient la faim. Gamelin, incapable de faire les frais d'un tableau, ne pouvant ni payer le modèle, ni acheter des couleurs, laissait à peine ébauchée sa vaste toile du *Tyran poursuivi aux Enfers par les Furies*. Elle couvrait la moitié de l'atelier de figures inachevées et terribles, plus grandes que nature, et d'une multitude de serpents verts dardant chacun deux langues aiguës et recourbées. On distinguait au premier plan, à gauche, un Charon maigre et farouche dans sa barque, morceau puissant et d'un beau dessin, mais qui sentait l'école. Il y avait bien plus de génie et de naturel dans une toile de moindres dimensions, également inachevée, qui était pendue à l'endroit le mieux éclairé de l'atelier. C'était un Oreste que sa sœur Électre soulevait sur son lit de douleur. Et l'on voyait la jeune fille écarter d'un geste touchant les cheveux emmêlés qui voilaient les yeux de son frère. La tête d'Oreste était tragique et belle et l'on y reconnaissait une ressemblance avec le visage du peintre.

Gamelin regardait souvent d'un œil attristé cette composition; parfois ses bras frémissants du désir de peindre se tendaient vers la figure largement esquissée d'Électre et retombaient impuissants. L'artiste était gonflé d'enthousiasme et son âme tendue vers de grandes choses. Mais il lui fallait s'épuiser sur des ouvrages de commande qu'il exécutait médiocrement, parce qu'il devait contenter le goût du vulgaire et aussi parce qu'il ne savait point imprimer aux moindres choses le caractère du génie. Il dessinait de petites compositions allégoriques, que son camarade Desmahis gravait assez adroitement en noir ou en couleurs et que prenait à bas prix un marchand d'estampes de la rue Honoré, le citoyen Blaise. Mais le commerce des estampes allait de mal en pis, disait Blaise, qui depuis quelque temps ne voulait plus rien acheter.

Cette fois pourtant, Gamelin, que la nécessité rendait ingénieux, venait de concevoir une invention heureuse et neuve, du moins le croyait-il, qui devait faire la fortune du marchand d'estampes, du graveur et la sienne; un jeu de cartes patriotique dans lequel aux rois, aux dames, aux valets de l'ancien régime il substituait des Génies, des Libertés, des Égalités. Il avait déjà esquissé toutes ses figures, il en avait terminé plusieurs, et il était pressé de livrer à Desmahis celles qui se trouvaient en état d'être gravées. La figure qui lui paraissait la mieux venue représentait un volontaire coiffé du tricorne, vêtu d'un habit bleu à parements rouges, avec une culotte jaune et des guêtres noires, assis sur une caisse, les pieds sur une pile de boulets, son fusil entre les jambes. C'était le " citoyen de cœur ", remplaçant le valet de cœur. Depuis plus de six mois Gamelin dessinait des volontaires, et toujours avec amour. Il en avait vendu quelques-uns, aux jours d'enthousiasme. Plusieurs pendaient au mur de l'atelier. Cinq ou six, à l'aquarelle, à la gouache, aux deux crayons, traînaient sur la table et sur les chaises. Au mois de juillet 92, lorsque s'élevaient sur toutes les places de Paris des estrades pour les enrôlements, quand tous les cabarets, ornés de feuillage, retentissaient des cris de " Vive la Nation! vivre libre ou mourir! " Gamelin ne pouvait passer sur le Pont-Neuf ou devant la maison de ville sans que son cœur bondît vers la tente pavoisée sous laquelle des magistrats en écharpe inscrivaient les volontaires au son de la *Marseillaise*. Mais en rejoignant les armées il eût laissé sa mère sans pain.

Précédée du bruit de son souffle péniblement expiré, la citoyenne veuve Gamelin entra dans l'atelier, suante, rougeoyante, palpitante, la cocarde nationale négligemment pendue à son bonnet et prête à s'échapper. Elle posa son panier sur une chaise et, plantée debout pour mieux respirer, gémit de la cherté des vivres.

Coutelière dans la rue de Grenelle-Saint-Germain, à l'enseigne de " la Ville de Châtellerault ", tant qu'avait vécu son époux, et maintenant pauvre ménagère, la citoyenne Gamelin vivait retirée chez son fils le peintre. C'était l'aîné de ses deux enfants. Quant à sa fille Julie, naguère demoiselle de modes rue Honoré, le mieux était d'ignorer ce qu'elle était devenue, car il n'était pas bon de dire qu'elle avait émigré avec un aristocrate.

" Seigneur Dieu! soupira la citoyenne en montrant à son fils une miche de pâte épaisse et bise, le pain est hors de prix; encore s'en faut-il bien qu'il soit de pur froment.

On ne trouve au marché ni œufs, ni légumes, ni fromages. A force de manger des châtaignes, nous deviendrons châtaignes. ”

Après un long silence, elle reprit :

“ J'ai vu dans la rue des femmes qui n'avaient pas de quoi nourrir leurs petits enfants. La misère est grande pour le pauvre monde. Et il en sera ainsi tant que les affaires ne seront pas rétablies.

— Ma mère, dit Gamelin en fronçant le sourcil, la disette dont nous souffrons est due aux accapareurs et aux agioteurs qui affament le peuple et s'entendent avec les ennemis du dehors pour rendre la République odieuse aux citoyens et détruire la liberté. Voilà où aboutissent les complots des Brissotins, les trahisons des Pétion et des Roland! Heureux encore si les fédéralistes en armes ne viennent pas massacrer, à Paris, les patriotes que la famine ne détruit pas assez vite! Il n'y a pas de temps à perdre : il faut taxer la farine et guillotiner quiconque spécule sur la nourriture du peuple, fomente l'insurrection ou pactise avec l'étranger. La Convention vient d'établir un tribunal extraordinaire pour juger les conspirateurs. Il est composé de patriotes; mais ses membres auront-ils assez d'énergie pour défendre la patrie contre tous ses ennemis? Espérons en Robespierre : il est vertueux. Espérons surtout en Marat. Celui-là aime le peuple, discerne ses véritables intérêts et les sert. Il fut toujours le premier à démasquer les traîtres, à déjouer les complots. Il est incorruptible et sans peur. Lui seul est capable de sauver la République en péril. ”

La citoyenne Gamelin, secouant la tête, fit tomber de son bonnet sa cocarde négligée.

“ Laisse donc, Évariste : ton Marat est un homme comme les autres, et qui ne vaut pas mieux que les autres. Tu es jeune, tu as des illusions. Ce que tu dis aujourd'hui de Marat, tu l'as dit autrefois de Mirabeau, de La Fayette, de Pétion, de Brissot.

— Jamais ! " s'écria Gamelin, sincèrement oublieux.

Ayant dégagé un bout de la table de bois blanc encombrée de papiers, de livres, de brosses et de crayons, la citoyenne y posa la soupière de faïence, deux écuelles d'étain, deux fourchettes de fer, la miche de pain bis et un pot de piquette.

Le fils et la mère mangèrent la soupe en silence et ils finirent leur dîner par un petit morceau de lard. La mère ayant mis son fricot sur son pain, portait gravement sur la pointe de son couteau de poche les morceaux à sa bouche édentée et mâchait avec respect des aliments qui avaient coûté cher.

Elle avait laissé dans le plat le meilleur à son fils, qui restait songeur et distrait.

" Mange, Évariste, lui disait-elle, à intervalles égaux, mange. "

Et cette parole prenait sur ses lèvres la gravité d'un précepte religieux.

Elle recommença ses lamentations sur la cherté des vivres. Gamelin réclama de nouveau la taxe comme le seul remède à ces maux.

Mais elle :

" Il n'y a plus d'argent. Les émigrés ont tout emporté. Il n'y a plus de confiance. C'est à désespérer de tout.

— Taisez-vous, ma mère, taisez-vous ! s'écria Gamelin. Qu'importent nos privations, nos souffrances d'un moment ! La Révolution fera pour les siècles le bonheur du genre humain. "

La bonne dame trempa son pain dans son vin : son esprit s'éclaircit et elle songea en souriant au temps de sa jeunesse, quand elle dansait sur l'herbe à la fête du roi. Il lui souvenait aussi du jour où Joseph Gamelin, coutelier de son état, l'avait demandée en mariage. Et elle conta par le menu comment les choses s'étaient passées. Sa mère lui avait dit : " Habille-toi. Nous allons sur la place de

Grève, dans le magasin de M. Bienassis, orfèvre, pour voir écarteler Damiens. " Elles eurent grand-peine à se frayer un chemin à travers la foule des curieux. Dans le magasin de M. Bienassis la jeune fille avait trouvé Joseph Gamelin, vêtu de son bel habit rose, et elle avait compris tout de suite de quoi il retournait. Tout le temps qu'elle s'était tenue à la fenêtre pour voir le régicide tenaillé, arrosé de plomb fondu, tiré à quatre chevaux et jeté au feu, M. Joseph Gamelin, debout derrière elle, n'avait pas cessé de la complimenter sur son teint, sa coiffure et sa taille.

Elle vida le fond de son verre et continua de se remémorer sa vie.

" Je te mis au monde, Evariste, plus tôt que je ne m'y attendais, par suite d'une frayeur que j'eus, étant grosse, sur le Pont-Neuf, où je faillis être renversée par des curieux, qui couraient à l'exécution de M. de Lally. Tu étais si petit, à ta naissance, que le chirurgien croyait que tu ne vivrais pas. Mais je savais bien que Dieu me ferait la grâce de te conserver. Je t'élevai de mon mieux, ne ménageant ni les soins ni la dépense. Il est juste de dire, mon Évariste, que tu m'en témoignas de la reconnaissance et que, dès l'enfance, tu cherchas à m'en récompenser selon tes moyens. Tu étais d'un naturel affectueux et doux. Ta sœur n'avait pas mauvais cœur; mais elle était égoïste et violente. Tu avais plus de pitié qu'elle des malheureux. Quand les petits polissons du quartier dénichaient des nids dans les arbres, tu t'efforçais de leur tirer des mains les oisillons pour les rendre à leur mère, et bien souvent tu n'y renonçais que foulé aux pieds et cruellement battu. À l'âge de sept ans, au lieu de te quereller avec de mauvais sujets, tu allais tranquillement dans la rue en récitant ton catéchisme; et tous les pauvres que tu rencontrais, tu les amenais à la maison pour les secourir, tant que je fus obligée de te fouetter pour t'ôter cette habitude. Tu ne pouvais voir un être souffrir sans verser des larmes. Quand tu eus achevé ta croissance, tu devins très beau. A ma grande surprise, tu ne semblais pas le savoir, très différent en cela de la plupart des jolis garçons, qui sont coquets et vains de leur figure. »

La vieille mère disait vrai. Évariste avait eu à vingt ans un visage grave et charmant, une beauté à la fois austère et féminine, les traits d'une Minerve. Maintenant ses yeux sombres et ses joues pâles exprimaient une âme triste et violente. Mais son regard, lorsqu'il le tourna sur sa mère, reprit pour un moment la douceur de la première jeunesse.

Elle poursuivit :

« Tu aurais pu profiter de tes avantages pour courir les filles, mais tu te plaisais à rester près de moi, à la boutique, et il m'arrivait parfois de te dire de te retirer de mes jupes et d'aller un peu te dégourdir avec tes camarades. Jusque sur mon lit de mort je te rendrai ce témoignage, Évariste, que tu es un bon fils. Après le décès de ton père, tu m'as prise courageusement à ta charge; bien que ton état ne te rapporte guère, tu ne m'as jamais laissée manquer de rien, et, si nous sommes aujourd'hui tous deux dépourvus et misérables, je ne puis te le reprocher : la faute en est à la Révolution. »

Il fit un geste de reproche; mais elle haussa les épaules et poursuivit.

« Je ne suis pas une aristocrate. J'ai connu les grands dans toute leur puissance et je puis dire qu'ils abusaient de leurs privilèges. J'ai vu ton père bâtonné par les laquais du duc de Canaleilles parce qu'il ne se rangeait pas assez vite sur le passage de leur maître. Je n'aimais point l'Autrichienne : elle était trop fière et faisait trop de dépenses. Quant au roi, je l'ai cru bon, et il a fallu son procès et sa condamnation pour me faire changer d'idée. Enfin je ne regrette pas l'ancien régime, bien que j'y aie passé quelques moments agréables. Mais ne me dis pas que la Révolution établira l'égalité, parce que les hommes ne seront jamais égaux; ce n'est pas possible, et l'on a beau mettre le pays sens dessus dessous : il y aura toujours des grands et petits, des gras et des maigres. ”

Et, tout en parlant, elle rangeait la vaisselle. Le peintre ne l'écoutait plus. Il cherchait la silhouette d'un sans-culotte, en bonnet rouge et en carmagnole, qui devait, dans son jeu de cartes, remplacer le valet de pique condamné.

On gratta à la porte et une fille, une campagnarde, parut, plus large que haute, rousse, bancale, une loupe lui cachant l'œil gauche, l'œil droit d'un bleu si pâle qu'il en paraissait blanc, les lèvres énormes et les dents débordant les lèvres.

Elle demanda à Gamelin si c'était lui le peintre et s'il pouvait lui faire un portrait de son fiancé, Ferrand (Jules), volontaire à l'armée des Ardennes.

Gamelin répondit qu'il ferait volontiers ce portrait au retour du brave guerrier.

La fille demanda avec une douceur pressante que ce fût tout de suite.

Le peintre, souriant malgré lui, objecta qu'il ne pouvait rien faire sans le modèle.

La pauvre créature ne répondit rien : elle n'avait pas prévu cette difficulté. La tête inclinée sur l'épaule gauche, les mains jointes sur le ventre, elle demeurait inerte et muette et semblait accablée de chagrin. Touché et amusé de tant de simplicité, le peintre, pour distraire la malheureuse amante, lui mit dans la main un des volontaires qu'il avait peints à l'aquarelle et lui demanda s'il était fait ainsi, son fiancé des Ardennes.

Elle appliqua sur le papier le regard de son œil morne, qui lentement s'anima, puis brilla, et resplendit; sa large face s'épanouit en un radieux sourire.

“ C'est sa vraie ressemblance, dit-elle enfin; c'est

Ferrand (Jules) au naturel, c'est Ferrand (Jules) tout craché. »

Avant que le peintre eût songé à lui tirer la feuille des mains, elle la plia soigneusement de ses gros doigts rouges et en fit un tout petit carré qu'elle coula sur son cœur, entre le busc et la chemise, remit à l'artiste un assignat de cinq livres, souhaita le bonsoir à la compagnie et sortit clochante et légère.

III

Dans l'après-midi du même jour, Évariste se rendit chez le citoyen Jean Blaise, marchand d'estampes, qui vendait aussi des boîtes, des cartonnages et toutes sortes de jeux, rue Honoré, vis-à-vis de l'Oratoire, proche les Messageries, à l'*Amour peintre*. Le magasin s'ouvrait au rez-de-chaussée d'une maison vieille de soixante ans, par une baie dont la voûte portait à sa clef un mascaron cornu. Le cintre de cette baie était rempli par une peinture à l'huile représentant " le Sicilien ou l'Amour peintre ", d'après une composition de Boucher, que le père de Jean Blaise avait fait poser en 1770 et qu'effaçaient depuis lors le soleil et la pluie. De chaque côté de la porte, une baie semblable, avec une tête de nymphe en clef de voûte, garnie de vitres aussi grandes qu'il s'en était pu trouver, offrait aux regards les estampes à la mode et les dernières nouveautés de la gravure en couleurs. On y voyait, ce jour-là, des scènes galantes traitées avec une grâce un peu sèche par Boilly, *Leçons d'amour conjugal* et *Douces résistances*, dont se scandalisaient les Jacobins et que les purs dénonçaient à la Société des arts; la *Promenade publique* de Debucourt, avec un petit-maître en culotte serin, étalé sur trois chaises, des chevaux du jeune Carle Vernet, des aérostats, le *Bain de Virginie* et des figures d'après l'antique.

Parmi les citoyens dont le flot coulait devant le magasin,

c'étaient les plus déguenillés qui s'arrêtaient le plus longtemps devant les deux belles vitrines, prompts à se distraire, avides d'images et jaloux de prendre, du moins par les yeux, leur part des biens de ce monde; ils admiraient bouche béante, tandis que les aristocrates donnaient un coup d'œil, fronçaient le sourcil et passaient.

Du plus loin qu'il put l'apercevoir, Évariste leva ses regards vers une des fenêtres qui s'ouvraient au-dessus du magasin, celle de gauche, où il y avait un pot d'œillets rouges derrière le balcon de fer à coquille. Cette fenêtre éclairait la chambre d'Élodie, fille de Jean Blaise. Le marchand d'estampes habitait avec son unique enfant le premier étage de la maison.

Évariste, s'étant arrêté un moment, comme pour prendre haleine devant l'*Amour peintre*, tourna le bec-de-cane. Il trouva la citoyenne Élodie qui, ayant vendu des gravures, deux compositions de Fragonard fils et de Naigeon, soigneusement choisies entre beaucoup d'autres, avant d'enfermer dans la caisse les assignats qu'elle venait de recevoir, les passait l'un après l'autre entre ses beaux yeux et le jour, pour en examiner les pontuseaux, les vergeures et le filigrane, inquiète, car il circulait autant de faux papier que de vrai, ce qui nuisait beaucoup au commerce. Comme autrefois ceux qui imitaient la signature du roi, les contrefacteurs de la monnaie nationale étaient punis de mort; cependant on trouvait des planches à assignats dans toutes les caves; les Suisses introduisaient de faux assignats par millions; on les jetait par paquets dans les auberges; les Anglais en débarquaient tous les jours des ballots sur nos côtes pour discréditer la République et réduire les patriotes à la misère, Élodie craignait de recevoir du mauvais papier et craignait plus encore d'en passer et d'être traitée comme complice de Pitt, s'en fiant toutefois à sa chance et sûre de se tirer d'affaire en toute rencontre.

Évariste la regarda de cet air sombre qui mieux que tous les sourires exprime l'amour. Elle le regarda avec une moue un peu moqueuse qui retroussait ses yeux noirs, et cette expression lui venait de ce qu'elle se savait aimée et qu'elle n'était pas fâchée de l'être et de ce que cette figure-là irrite un amoureux, l'excite à se plaindre, l'induit à se déclarer s'il ne l'a pas encore fait, ce qui était le cas d'Évariste.

Ayant mis les assignats dans la caisse, elle tira de sa corbeille à ouvrage une écharpe blanche, qu'elle avait commencé de broder, et se mit à travailler. Elle était laborieuse et coquette, et comme, d'instinct, elle maniait l'aiguille pour plaire en même temps que pour se faire une parure, elle brodait de façons différentes selon ceux qui la regardaient : elle brodait nonchalamment pour ceux à qui elle voulait communiquer une douce langueur; elle brodait capricieusement pour ceux qu'elle s'amusait à désespérer un peu. Elle se mit à broder avec soin pour Évariste, en qui elle désirait entretenir un sentiment sérieux.

Élodie n'était ni très jeune ni très jolie. On pouvait la trouver laide au premier abord. Brune, le teint olivâtre, sous le grand mouchoir blanc noué négligemment autour de sa tête et d'où s'échappaient les boucles azurées de sa chevelure, ses yeux de feu charbonnaient leurs orbites. En son visage rond, aux pommettes saillantes, riant, un peu camus, agreste et voluptueux, le peintre retrouvait la tête du faune Borghèse, dont il admirait, sur un moulage, la divine espièglerie. De petites moustaches donnaient de l'accent à ses lèvres ardentes. Un sein qui semblait gonflé de tendresse soulevait le fichu croisé à la mode de l'année. Sa taille souple, ses jambes agiles, tout son corps robuste se mouvaient avec des grâces sauvages et délicieuses. Son regard, son souffle, les frissons de sa chair, tout en elle demandait le cœur et promettait l'amour. Derrière le comptoir de marchande, elle donnait l'idée d'une nymphe de la danse, d'une bacchante d'Opéra, dépouillée de sa peau de lynx, de son thyrse et de ses guirlandes de lierre, contenue, dissimulée par enchantement dans l'enveloppe modeste d'une ménagère de Chardin.

" Mon père n'est pas à la maison, dit-elle au peintre; attendez-le un moment : il ne tardera pas à rentrer. "

Les petites mains brunes faisaient courir l'aiguille à travers le linon.

" Trouvez-vous ce dessin à votre goût, monsieur Gamelin? "

Gamelin était incapable de feindre. Et l'amour, en enflammant son courage, exaltait sa franchise.

" Vous brodez avec habileté, citoyenne, mais, si vous voulez que je vous le dise, le dessin qui vous a été tracé n'est pas assez simple, assez nu, et se ressent du goût affecté qui régna trop longtemps en France dans l'art de décorer les étoffes, les meubles, les lambris; ces nœuds, ces guirlandes rappellent le style petit et mesquin qui fut en faveur sous le tyran. Le goût renaît. Hélas! nous revenons de loin. Du temps de l'infâme Louis XV, la décoration avait quelque chose de chinois. On faisait des commodes à gros ventre, à poignées contournées d'un aspect ridicule, qui ne sont bonnes qu'à être mises au feu pour chauffer les patriotes; la simplicité seule est belle. Il faut revenir à l'antique. David dessine des lits et des fauteuils d'après les vases étrusques et les peintures d'Herculanum.

— J'ai vu de ces lits et de ces fauteuils, dit Élodie, c'est beau! Bientôt on n'en voudra pas d'autres. Comme vous, j'adore l'antique.

— Eh bien! citoyenne, reprit Évariste, si vous aviez orné cette écharpe d'une grecque, de feuilles de lierre, de serpents ou de flèches entrecroisées, elle eût été digne d'une

Spartiate... et de vous. Vous pouvez cependant garder ce modèle en le simplifiant, en le ramenant à la ligne droite. »

Elle lui demanda ce qu'il fallait ôter.

Il se pencha sur l'écharpe : ses joues effleurèrent les boucles d'Élodie. Leurs mains se rencontraient sur le linon, leurs souffles se mêlaient. Évariste goûtait en ce moment une joie infinie; mais, sentant près de ses lèvres les lèvres d'Élodie, il craignait d'avoir offensé la jeune fille et se retira brusquement.

La citoyenne Blaise aimait Évariste Gamelin. Elle le trouvait superbe avec ses grands yeux ardents, son beau visage ovale, sa pâleur, ses abondants cheveux noirs, partagés sur le front et tombant à flots sur ses épaules, son maintien grave, son air froid, son abord sévère, sa parole ferme, qui ne flattait point. Et, comme elle l'aimait, elle lui prêtait un fier génie d'artiste qui éclaterait un jour en chefs-d'œuvre et rendrait son nom célèbre, et elle l'en aimait davantage. La citoyenne Blaise n'avait pas un culte pour la pudeur virile, sa morale n'était pas offensée de ce qu'un homme cédât à ses passions, à ses goûts, à ses désirs; elle aimait Évariste, qui était chaste; elle ne l'aimait pas parce qu'il était chaste; mais elle trouvait à ce qu'il le fût l'avantage de ne concevoir ni jalousie ni soupçons et de ne point craindre de rivales.

Toutefois, en cet instant, elle le jugea un peu trop réservé. Si l'Aricie de Racine, qui aimait Hippolyte, admirait la vertu farouche du jeune héros, c'était avec l'espoir d'en triompher et elle eût bientôt gémi d'une sévérité de mœurs qu'il n'eût point adoucie pour elle. Et, dès qu'elle en trouva l'occasion, elle se déclara plus qu'à demi, pour le contraindre à se déclarer lui-même. A l'exemple de cette tendre Aricie, la citoyenne Blaise n'était pas très éloignée de croire qu'en amour la femme est tenue à faire des avances. « Les plus aimants, se disait-elle, sont les plus timides; ils ont besoin d'aide et d'encouragement. Telle est, au reste, leur candeur, qu'une femme peut faire la moitié du chemin et même davantage sans qu'ils s'en aperçoivent, en leur ménageant les apparences d'une attaque audacieuse et la gloire de la conquête. " Ce qui la tranquillisait sur l'issue de l'affaire, c'est qu'elle savait avec certitude (et aussi n'y avait-il pas de doute à ce sujet) qu'Évariste, avant que la Révolution l'eût héroïsé, avait aimé très humainement une femme, une humble créature, la concierge de l'académie.

Élodie, qui n'était point une ingénue, concevait différentes sortes d'amour. Le sentiment que lui inspirait Évariste était assez profond pour qu'elle pensât lui engager sa vie. Elle était toute disposée à l'épouser, mais s'attendait à ce que son père n'approuvât pas l'union de sa fille unique avec un artiste obscur et pauvre. Gamelin n'avait rien; le marchand d'estampes remuait de grosses sommes d'argent. L'*Amour peintre* lui rapportait beaucoup, l'agio plus encore, et il s'était associé à un fournisseur qui livrait à la cavalerie de la République des bottes de jonc et de l'avoine mouillée. Enfin, le fils du coutelier de la rue Saint-Dominique était un mince personnage auprès de l'éditeur d'estampes connu dans toute l'Europe, apparenté aux Blaizot, aux Basan, aux Didot, et qui fréquentait chez les citoyens Saint-Pierre et Florian. Ce n'est pas qu'en fille obéissante elle tînt le consentement de son père pour nécessaire à son établissement. Le père, veuf de bonne heure, d'humeur avide et légère, grand coureur de filles, grand brasseur d'affaires, ne s'était jamais occupé d'elle, l'avait laissée grandir libre, sans conseils, sans amitié, soucieux non de surveiller, mais d'ignorer la conduite de cette fille, dont il appréciait en connaisseur le tempérament fougueux et les moyens de séduction bien autrement puissants qu'un joli visage. Trop généreuse pour se garder, trop intelligente pour se perdre, sage dans ses folies, le goût d'aimer ne lui avait jamais fait oublier les convenances sociales. Son père lui savait un gré infini de cette prudence; et, comme elle tenait de lui le sens du commerce et le goût des entreprises, il ne s'inquiétait pas des raisons mystérieuses qui détournaient du mariage une fille si nubile et la retenaient à la maison, où elle valait une gouvernante et quatre commis. A vingt-sept ans, elle se sentait d'âge et d'expérience à faire sa vie elle-même et n'éprouvait nul besoin de demander les conseils ou de suivre la volonté d'un père jeune, facile et distrait. Mais pour qu'elle épousât Gamelin, il aurait fallu que M. Blaise fît un sort à ce gendre pauvre, l'intéressât dans la maison, lui assurât des travaux comme il en assurait à plusieurs artistes, enfin, d'une manière ou d'une autre, lui créât des ressources; et cela elle jugeait impossible que l'un l'offrît, que l'autre l'acceptât, tant il y avait peu de sympathie entre ces deux hommes.

Cette difficulté embarrassait la tendre et sage Élodie. Elle envisageait sans terreur l'idée de s'unir à son ami par des liens secrets et de prendre l'auteur de la nature pour seul témoin de leur foi mutuelle. Sa philosophie ne trouvait pas condamnable une telle union que l'indépendance où elle vivait rendait possible et à laquelle le caractère honnête et vertueux d'Évariste donnerait une force rassurante; mais Gamelin avait grand-peine à subsister et à soutenir la vie de sa vieille mère : il ne semblait pas qu'il y eût dans une existence si étroite place pour un amour même réduit à la simplicité de la nature. D'ailleurs Évariste n'avait pas encore déclaré ses sentiments ni fait part de ses intentions. La citoyenne Blaise espérait bien l'y obliger avant peu.

Elle arrêta du même coup ses méditations et son aiguille :

“ Citoyen Évariste, dit-elle, cette écharpe ne me plaira qu'autant qu'elle vous plaira à vous-même. Dessinez-moi un modèle, je vous prie. En l'attendant, je déferai comme Pénélope ce qui a été fait en votre absence. ”

Il répondit avec un sombre enthousiasme :

“ Je m'y engage, citoyenne. Je vous dessinerai le glaive d'Harmodius : une épée dans une guirlande. ”

Et, tirant son crayon, il esquissa des épées et des fleurs dans ce style sobre et nu, qu'il aimait. Et, en même temps, il exposait ses doctrines.

“ Les Français régénérés, disait-il, doivent répudier tous les legs de la servitude : le mauvais goût, la mauvaise forme, le mauvais dessin. Watteau, Boucher, Fragonard travaillaient pour des tyrans et pour des esclaves. Dans leurs ouvrages, nul sentiment du bon style ni de la ligne pure; nulle part la nature ni la vérité. Des masques, des poupées, des chiffons, des singeries. La postérité méprisera leurs frivoles ouvrages. Dans cent ans, tous les tableaux de Watteau auront péri méprisés dans les greniers; en 1893, les étudiants en peinture recouvriront de leurs ébauches les toiles de Boucher. David a ouvert la voie : il se rapproche de l'antique; mais il n'est pas encore assez simple, assez grand, assez nu. Nos artistes ont encore bien des secrets à apprendre des frises d'Herculanum, des bas-reliefs romains, des vases étrusques. ”

Il parla longtemps de la beauté antique, puis revint à Fragonard, qu'il poursuivait d'une haine inextinguible :

“ Le connaissez-vous, citoyenne? ”

Élodie fit signe qu'oui.

“ Vous connaissez aussi le bonhomme Greuze, qui certes est suffisamment ridicule avec son habit écarlate et son épée. Mais il a l'air d'un sage de la Grèce auprès de Fragonard. Je l'ai rencontré, il y a quelque temps, ce misérable vieillard, trottinant sous les arcades du Palais-Égalité, poudré, galant, frétillant, égrillard, hideux. A cette vue, je souhaitai qu'à défaut d'Apollon quelque vigoureux ami des arts le pendît à un arbre et l'écorchât comme Marsyas, en exemple éternel aux mauvais peintres. ”

Élodie fixa sur lui le regard de ses yeux gais et voluptueux :

« Vous savez haïr, monsieur Gamelin, faut-il croire que vous savez aussi ai....

— C'est vous, Gamelin? » fit une voix de ténor, la voix du citoyen Blaise qui rentrait dans son magasin, bottes craquantes, breloques sonnantes, basques envolées, et coiffé d'un énorme chapeau noir dont les cornes lui descendaient sur les épaules.

Élodie, emportant sa corbeille, monta dans sa chambre.

« Eh bien, Gamelin! demanda le citoyen Blaise, m'apportez-vous quelque chose de neuf?

— Peut-être », dit le peintre.

Et il exposa son idée :

« Nos cartes à jouer offrent un contraste choquant avec l'état des mœurs. Les noms de valet et de roi offensent les oreilles d'un patriote. J'ai conçu et exécuté le nouveau jeu de cartes révolutionnaire dans lequel aux rois, aux dames, aux valets sont substituées les Libertés, les Égalités, les Fraternités; les as, entourés de faisceaux, s'appellent les Lois.... Vous annoncez Liberté de trèfle, Égalité de pique, Fraternité de carreau, Loi de cœur.... Je crois ces cartes assez fièrement dessinées; j'ai l'intention de les faire graver en taille-douce par Desmahis, et de prendre un brevet. »

Et, tirant de son carton quelques figures terminées à l'aquarelle, l'artiste les tendit au marchand d'estampes.

Le citoyen Blaise refusa de les prendre et détourna la tête.

« Mon petit, portez cela à la Convention, qui vous accordera les honneurs de la séance. Mais n'espérez pas tirer un sol de votre nouvelle invention, qui n'est pas nouvelle. Vous vous êtes levé trop tard. Votre jeu de cartes révolutionnaire eſt le troisième qu'on m'apporte. Votre camarade Dugourc m'a offert, la semaine dernière, un jeu de piquet avec quatre Génies, quatre Libertés, quatre Égalités. On m'a proposé un autre jeu où il y avait des sages, des braves, Caton, Rousseau, Annibal, qui sais-je encore!... Et ces cartes avaient sur les vôtres, mon ami, l'avantage d'être grossièrement dessinées et gravées sur bois au canif. Que vous connaissez peu les hommes pour croire que les joueurs se serviront de cartes dessinées dans le goût de David et gravées dans la manière de Bartolozzi! Et c'eſt encore une étrange illusion de croire qu'il faille faire tant de façons pour conformer les vieux jeux de cartes aux idées actuelles. D'eux-mêmes, les bons sans-culottes en corrigent l'incivisme en annonçant : " Le tyran! " ou simplement : " Le gros cochon! " Ils se servent de leurs cartes crasseuses et n'en achètent jamais d'autres. La grande consommation de jeux se fait dans les tripots du Palais-Égalité : je vous conseille d'y aller et d'offrir aux croupiers et aux pontes vos Libertés, vos Égalités, vos..., comment dites-vous?... vos Lois de cœur... et vous reviendrez me dire comment ils vous ont reçu! "

Le citoyen Blaise s'assit sur le comptoir, donna des pichenettes sur sa culotte nankin pour en ôter les grains de tabac, et, regardant Gamelin avec une douce pitié :

" Permettez-moi de vous donner un conseil, citoyen peintre : si vous voulez gagner votre vie, laissez là vos cartes patriotiques, laissez là vos symboles révolutionnaires, vos Hercules, vos hydres, vos Furies poursuivant le crime, vos génies de la Liberté, et peignez-moi de jolies filles. L'ardeur des citoyens à se régénérer tiédit avec le temps et les hommes aimeront toujours les femmes. Faites-moi des femmes toutes roses, avec de petits pieds et de petites mains. Et mettez-vous dans la tête que personne ne s'intéresse plus à la Révolution et qu'on ne veut plus en entendre parler. "

Du coup, Évariste Gamelin se cabra :

" Quoi! ne plus entendre parler de la Révolution!... Mais l'établissement de la liberté, les victoires de nos armées, le châtiment des tyrans sont des événements qui étonneront la postérité la plus reculée? Comment n'en pourrions-nous pas être frappés?... Quoi! la secte du sans-culotte Jésus a duré près de dix-huit siècles, et le culte de la Liberté serait aboli après quatre ans à peine d'existence! "

Mais Jean Blaise, d'un air de supériorité :

" Vous êtes dans le rêve; moi, je suis dans la vie. Croyez-moi, mon ami, la Révolution ennuie : elle dure trop. Cinq ans d'enthousiasme, cinq ans d'embrassades, de massacres, de discours, de *Marseillaise*, de tocsins, d'aristocrates à la lanterne, de têtes portées sur des piques, de femmes à cheval sur des canons, d'arbres de la Liberté coiffés du bonnet rouge, de jeunes filles et de vieillards traînés en robes blanches dans des chars de fleurs; d'emprisonnements, de guillotine, de rationnements, d'affiches, de cocardes, de panaches, de sabres, de carmagnoles, c'est long! Et puis l'on commence à n'y plus rien comprendre. Nous en avons trop vu, de ces grands citoyens que vous n'avez conduits au Capitole que pour les précipiter ensuite de la roche Tarpéienne, Necker, Mirabeau, La Fayette, Bailly, Pétion, Manuel, et tant d'autres. Qui nous dit que vous ne préparez pas le même sort à vos nouveaux héros?... On ne sait plus.

— Nommez-les, citoyen Blaise, nommez-les ces héros que nous nous préparons à sacrifier! dit Gamelin, d'un ton qui rappela le marchand d'estampes à la prudence.

— Je suis républicain et patriote, répliqua-t-il, la main sur son cœur. Je suis aussi républicain que vous, je suis aussi patriote que vous, citoyen Évariste Gamelin. Je ne soupçonne pas votre civisme et ne vous accuse nullement de versatilité. Mais sachez que mon civisme et mon dévouement à la chose publique sont attestés par des actes nombreux. Mes principes, les voici : Je donne ma confiance à tout individu capable de servir la nation. Devant les hommes que la voix publique désigne au périlleux honneur du pouvoir législatif, comme Marat, comme Robespierre, je m'incline; je suis prêt à les aider dans la mesure de mes faibles moyens et à leur apporter l'humble concours d'un bon citoyen. Les comités peuvent témoigner de mon zèle et de mon dévouement. En société avec de vrais patriotes, j'ai fourni de l'avoine et du fourrage à notre brave cavalerie, des souliers à nos soldats. Aujourd'hui même, je fais envoyer de Vernon soixante bœufs à l'armée du Midi, à travers un pays infesté de brigands et battu par les émissaires de Pitt et de Condé. Je ne parle pas; j'agis. "

Gamelin remit tranquillement ses aquarelles dans son carton, dont il noua les cordons et qu'il passa sous son bras.

" C'est une étrange contradiction, dit-il, les dents serrées, que d'aider nos soldats à porter à travers le monde cette liberté qu'on trahit dans ses foyers en semant le trouble et l'inquiétude dans l'âme de ses défenseurs.... Salut, citoyen Blaise. "

Avant de s'engager dans la ruelle qui longe l'Oratoire, Gamelin, le cœur gros d'amour et de colère, se retourna pour donner un regard aux œillets rouges fleuris sur le rebord d'une fenêtre.

Il ne désespérait point du salut de la patrie. Aux propos inciviques de Jean Blaise il opposait sa foi révolutionnaire. Encore lui fallait-il reconnaître que ce marchand ne prétendait pas sans quelque apparence de raison que désormais le peuple de Paris se désintéressait des événements. Hélas! il n'était que trop certain qu'à l'enthousiasme de la première heure succédait l'indifférence générale, et qu'on ne reverrait plus les grandes foules unanimes de Quatre-vingt-neuf, qu'on ne reverrait plus les millions d'âmes harmonieuses qui se pressaient en Quatre-vingt-dix autour de l'autel des fédérés. Eh bien! les bons citoyens redoubleraient de zèle et d'audace, réveilleraient le peuple assoupi, en lui donnant le choix de la liberté ou de la mort.

Ainsi songeait Gamelin, et la pensée d'Élodie soutenait son courage.

Arrivé aux quais, il vit le soleil descendre à l'horizon sous des nuées pesantes, semblables à des montagnes de lave incandescente; les toits de la ville baignaient dans une lumière d'or; les vitres des fenêtres jetaient des éclairs. Et Gamelin imaginait des Titans forgeant, avec les débris ardents des vieux mondes, Dicé, la cité d'airain.

N'ayant pas un morceau de pain pour sa mère ni pour lui, il rêvait de s'asseoir à la table sans bouts qui convierait l'univers et où prendrait place l'humanité régénérée. En attendant, il se persuadait que la patrie, en bonne mère, nourrirait son enfant fidèle. Se roidissant contre les dédains du marchand d'estampes, il s'excitait à croire que son idée d'un jeu de cartes révolutionnaire était nouvelle et bonne et qu'avec ses aquarelles bien réussies il tenait une fortune sous son bras. "Desmahis les gravera, pensait-il. Nous éditerons nous-mêmes le nouveau jeu patriotique et nous sommes sûrs d'en vendre dix mille, à vingt sols chaque, en un mois."

Et, dans son impatience de réaliser ce projet, il se dirigea à grands pas sur le quai de la Ferraille, où logeait Desmahis, au-dessus du vitrier.

On entrait par la boutique. La vitrière avertit Gamelin que le citoyen Desmahis n'était pas chez lui, ce qui ne pouvait beaucoup surprendre le peintre, qui savait que son ami était d'humeur vagabonde et dissipée, et qui s'étonnait qu'on pût graver autant et si bien qu'il le faisait avec aussi peu d'assiduité. Gamelin résolut de l'attendre un moment. La femme du vitrier lui offrit un siège. Elle était morose et se plaignait des affaires qui allaient mal, quoiqu'on eût dit que la Révolution, en cassant les carreaux, enrichissait les vitriers.

La nuit tombait : renonçant à attendre son camarade, Gamelin prit congé de la vitrière. Comme il passait sur le Pont-Neuf, il vit déboucher du quai des Morfondus des gardes nationaux à cheval qui refoulaient les passants, portaient des torches et, avec un grand cliquetis de sabres, escortaient une charrette qui traînait lentement à la guillotine un homme dont personne ne savait le nom, un ci-devant, le premier condamné du nouveau tribunal révolutionnaire. On l'apercevait confusément entre les chapeaux des gardes, assis, les mains liées sur le dos, la tête nue et ballante, tournée vers le cul de la charrette. Le bourreau se tenait debout près de lui, appuyé à la ridelle. Les passants, arrêtés, disaient entre eux que c'était probablement quelque affameur du peuple et regardaient avec indifférence. Gamelin, s'étant approché, reconnut parmi les spectateurs Desmahis, qui s'efforçait de fendre la foule et de couper le cortège. Il l'appela et lui mit la main sur l'épaule; Desmahis tourna la tête. C'était un jeune homme beau et vigoureux.

On disait naguère, à l'académie, qu'il portait la tête de Bacchus sur le corps d'Hercule. Ses amis l'appelaient " Barbaroux ", à cause de sa ressemblance avec ce représentant du peuple.

" Viens, lui dit Gamelin, j'ai à te parler d'une affaire importante.

— Laisse-moi! " répondit vivement Desmahis.

Et il jeta quelques mots indistincts, en guettant le moment de s'élancer :

“ Je suivais une femme divine, en chapeau de paille, une ouvrière de modes, ses cheveux blonds sur le dos : cette maudite charrette m’en a séparé.... Elle a passé devant, elle est déjà au bout du pont. ”

Gamelin tenta de le retenir par son habit, jurant que la chose était d’importance.

Mais Desmahis s’était déjà coulé à travers chevaux, gardes, sabres et torches et poursuivait la demoiselle de modes.

IV

Il était dix heures du matin. Le soleil d'avril trempait de lumière les tendres feuilles des arbres. Allégé par l'orage de la nuit, l'air avait une douceur délicieuse. A longs intervalles, un cavalier, passant sur l'allée des Veuves, rompait le silence de la solitude. Au bord de l'allée ombreuse, contre la chaumière de *La Belle Lilloise*, sur un banc de bois, Évariste attendait Élodie. Depuis le jour où leurs doigts s'étaient rencontrés sur le linon de l'écharpe, où leurs souffles s'étaient mêlés, il n'était plus revenu à l'*Amour peintre*. Pendant toute une semaine, son orgueilleux stoïcisme et sa timidité, qui devenait sans cesse plus farouche, l'avaient tenu éloigné d'Élodie. Il lui avait écrit une lettre grave, sombre, ardente, dans laquelle, exposant les griefs dont il chargeait le citoyen Blaise et taisant son amour, dissimulant sa douleur, il annonçait sa résolution de ne plus retourner au magasin d'estampes et montrait à suivre cette résolution plus de fermeté que n'en pouvait approuver une amante.

D'un naturel contraire, Élodie, encline à défendre son bien en toute occasion, songea tout de suite à rattraper son ami. Elle pensa d'abord à l'aller voir chez lui, dans l'atelier de la place de Thionville. Mais, le sachant d'humeur chagrine, jugeant, par sa lettre, qu'il avait l'âme irritée, craignant qu'il n'enveloppât dans la même rancune la fille et le père et ne s'étudiât à ne la plus revoir, elle pensa meilleur de lui donner un rendez-vous sentimental et romanesque auquel il ne pourrait se dérober, où elle aurait tout loisir de persuader et de plaire, où la solitude conspirerait avec elle pour le charmer et le vaincre.

Il y avait alors, dans tous les jardins anglais et sur toutes les promenades à la mode, des chaumières construites par de savants architectes, qui flattaient ainsi les goûts agrestes des citadins. La chaumière de *La Belle Lilloise*, occupée par un limonadier, appuyait sa feinte indigence sur les débris artistement imités d'une vieille tour, afin d'unir au charme villageois la mélancolie des ruines. Et, comme s'il n'eût point suffi, pour émouvoir les âmes sensibles, d'une chaumière et d'une tour écroulée, le limonadier avait élevé sous un saule un tombeau, une colonne surmontée d'une urne funèbre et qui portait cette inscription « Cléonice à son fidèle Azor. » Chaumières, ruines, tombeaux : à la veille de périr, l'aristocratie avait élevé dans les parcs héréditaires ces symboles de pauvreté, d'abolition et de mort. Et maintenant les citadins patriotes se plaisaient à boire, à danser, à aimer dans de fausses chaumières, à l'ombre de faux cloîtres faussement ruinés et parmi de faux tombeaux, car ils étaient les uns comme les autres amants de la nature et disciples de Jean-Jacques et ils avaient pareillement des cœurs sensibles et pleins de philosophie.

Arrivé au rendez-vous avant l'heure fixée, Évariste attendait, et, comme au balancier d'une horloge, il mesurait le temps aux battements de son cœur. Une patrouille passa, conduisant des prisonniers. Dix minutes après, une femme tout habillée de rose, un bouquet de fleurs à la main, selon l'usage, accompagnée d'un cavalier en tricorne, habit rouge, veste et culotte rayés, se glissèrent dans la chaumière, tous deux si semblables aux galants de l'ancien régime qu'il fallait bien croire, avec le citoyen Blaise, qu'il a dans les hommes des caractères que les révolutions ne hangent point.

Quelques instants plus tard, venue de Rueil ou de aint-Cloud, une vieille femme, qui portait au bout du ras une boîte cylindrique, peinte de couleurs vives, alla 'asseoir sur le banc où attendait Gamelin. Elle avait posé levant elle sa boîte, dont le couvercle portait une aiguille our tirer les sorts. Car la pauvre femme offrait, dans les ardins, la chance aux petits enfants. C'était une marchande le « plaisirs », vendant sous un nom nouveau une antique âtisserie, car, soit que le terme immémorial d' « oublie » lonnât l'idée importune d'oblation et de redevance, soit u'on s'en fût lassé par caprice, les « oublies » s'appelaient lors des « plaisirs ».

La vieille essuya, d'un coin de son tablier, la sueur de on front et exhala ses plaintes au ciel, accusant Dieu l'injustice quand il faisait une dure vie à ses créatures. Son omme tenait un bouchon, au bord de la rivière, à Saint-Cloud, et elle montait tous les jours aux Champs-Élysées, gitant sa cliquette et criant : « Voilà le plaisir, mes-lames ! » Et de tout ce travail ils ne tiraient pas de quoi outenir leur vieillesse.

Voyant le jeune homme du banc disposé à la plaindre, lle exposa abondamment la cause de ses maux. C'était la épublique qui, en dépouillant les riches, ôtait aux pauvres e pain de la bouche. Et il n'y avait pas à espérer un meilleur tat de choses. Elle connaissait, au contraire, à plusieurs ignes, que les affaires ne feraient qu'empirer. A Nanterre, ne femme avait accouché d'un enfant à tête de vipère; la oudre était tombée sur l'église de Rueil et avait fondu la roix du clocher; on avait aperçu un loup-garou dans le ois de Chaville. Des hommes masqués empoisonnaient es sources et jetaient dans l'air des poudres qui donnaient les maladies....

Évariste vit Élodie qui sautait de voiture. Il courut à

elle. Les yeux de la jeune femme brillaient dans l'ombr transparente de son chapeau de paille; ses lèvres, auss rouges que les œillets qu'elle tenait à la main, souriaient Une écharpe de soie noire, croisée sur la poitrine, s nouait sur le dos. Sa robe jaune faisait voir les mouvement rapides des genoux et découvrait les pieds chaussés d souliers plats. Les hanches étaient presque entièremen dégagées : car la Révolution avait affranchi la taille de citoyennes; cependant la jupe, enflée encore sous les reins déguisait les formes en les exagérant et voilait la réalit sous son image amplifiée.

Il voulut parler et ne put trouver ses mots, et se reproch cet embarras qu'Élodie préférait au plus doux accuei Elle remarqua aussi et tint pour un bon signe qu'il avai noué sa cravate avec plus d'art qu'à l'ordinaire. Elle lu tendit la main.

" Je voulais vous voir, dit-elle, causer avec vous. J n'ai pas répondu à votre lettre : elle m'a déplu; je ne vou y ai pas retrouvé. Elle aurait été plus aimable, si elle ava été plus naturelle. Ce serait faire tort à votre caractère e à votre esprit que de croire que vous ne voulez pa retourner à l'*Amour peintre* parce que vous y avez eu un altercation légère sur la politique, avec un homme beau coup plus âgé que vous. Soyez sûr que vous n'avez nulle ment à craindre que mon père vous reçoive mal, quan vous reviendrez chez nous. Vous ne le connaissez pas il ne se rappelle ni ce qu'il vous a dit, ni ce que vous l avez répondu. Je n'affirme pas qu'il existe une granc sympathie entre vous deux; mais il est sans rancune. J vous le dis franchement, il ne s'occupe pas beaucoup c vous... ni de moi. Il ne pense qu'à ses affaires et à se plaisirs. "

Elle s'achemina vers les bosquets de la chaumièr où il la suivit avec quelque répugnance, parce qu' savait que c'était le rendez-vous des amours vénal et des tendresses éphémères. Elle choisit la table la plus cachée.

“ Que j’ai de choses à vous dire, Evariste! L’amitié a des droits : vous me permettez d’en user? Je vous parlerai beaucoup de vous... et un peu de moi, si vous le voulez bien. ”

Le limonadier ayant apporté une carafe et des verres, elle versa elle-même à boire, en bonne ménagère; puis elle lui conta son enfance, elle lui dit la beauté de sa mère, qu’elle aimait à célébrer, par piété filiale et comme l’origine de sa propre beauté; elle vanta la vigueur de ses grands-parents, car elle avait l’orgueil de son sang bourgeois. Elle conta comment, ayant perdu à seize ans cette mère adorable, elle avait vécu sans tendresse et sans appui. Elle se peignit telle qu’elle était, vive, sensible, courageuse, et elle ajouta :

“ Évariste, j’ai passé une jeunesse trop mélancolique et trop solitaire pour ne pas savoir le prix d’un cœur comme le vôtre, et je ne renoncerai pas de moi-même et sans efforts, je vous en avertis, à une sympathie sur laquelle je croyais pouvoir compter et qui m’était chère. ”

Évariste la regarda tendrement :

“ Se peut-il, Élodie, que je ne vous sois pas indifférent? Puis-je croire?... ”

Il s’arrêta, de peur d’en trop dire et d’abuser par là d’une amitié si confiante.

Elle lui tendit une petite main honnête, qui sortait à demi des longues manches étroites garnies de dentelle. Son sein se soulevait en longs soupirs.

“ Attribuez-moi, Évariste, tous les sentiments que vous voulez que j’aie pour vous, et vous ne vous tromperez pas sur les dispositions de mon cœur.

— Élodie, Élodie, ce que vous dites là, le répéterez-vous encore quand vous saurez.... ”

Il hésita.

Elle baissa les yeux.

Il acheva plus bas :

« ... que je vous aime? »

En entendant ces derniers mots, elle rougit : c'était de plaisir. Et, tandis que ses yeux exprimaient une tendre volupté, malgré elle, un sourire comique soulevait un coin de ses lèvres. Elle songeait :

« Et il croit s'être déclaré le premier!... et il craint peut-être de me fâcher!... »

Et elle lui dit avec bonté :

« Vous ne l'aviez donc pas vu, mon ami, que je vous aimais? »

Ils se croyaient seuls au monde. Dans son exaltation, Évariste leva les yeux vers le firmament étincelant de lumière et d'azur :

« Voyez : le ciel nous regarde! Il est adorable et bienveillant comme vous, ma bien-aimée; il a votre éclat, votre douceur, votre sourire. »

Il se sentait uni à la nature entière, il l'associait à sa joie, à sa gloire. A ses yeux, pour célébrer ses fiançailles, les fleurs des marronniers s'allumaient comme des candélabres, les torches gigantesques des peupliers s'enflammaient.

Il se réjouissait de sa force et de sa grandeur. Elle, plus tendre et aussi plus fine, plus souple et plus ductile, se donnait l'avantage de la faiblesse et, aussitôt après l'avoir conquis, se soumettait à lui; maintenant qu'elle l'avait mis sous sa domination, elle reconnaissait en lui le maître, le héros, le dieu, brûlait d'obéir, d'admirer et de s'offrir. Sous l'ombrage du bosquet, il lui donna un long baiser ardent sous lequel elle renversa la tête, et, dans les bras d'Évariste, elle sentit toute sa chair se fondre comme une cire.

Ils s'entretinrent longtemps encore d'eux-mêmes, oubliant l'univers. Évariste exprimait surtout des idée vagues et pures, qui jetaient Élodie dans le ravissement. Élodie disait des choses douces, utiles et particulières. Puis, quand elle jugea qu'elle ne pouvait tarder davantage, elle se leva avec décision, donna à son ami les trois œillets rouges fleuris à sa fenêtre et sauta lestement dans le cabriolet qui l'avait amenée. C'était une voiture de place peinte en jaune, très haute sur roues, qui n'avait certes rien d'étrange, non plus que le cocher. Mais Gamelin ne prenait pas de voitures et l'on n'en prenait guère autour de lui. De la voir sur ces grandes roues rapides, il eut un serrement de cœur et se sentit assailli d'un douloureux pressentiment : par une sorte d'hallucination tout intellectuelle, il lui semblait que le cheval de louage emportait Élodie au-delà des choses actuelles et du temps présent vers une cité riche et joyeuse, vers des demeures de luxe et de plaisirs où il ne pénétrerait jamais.

La voiture disparut. Le trouble d'Évariste se dissipa; mais il lui restait une sourde angoisse et il sentait que les heures de tendresse et d'oubli qu'il venait de vivre, il ne les revivrait plus.

Il passa par les Champs-Élysées, où des femmes en robes claires cousaient ou brodaient, assises sur des chaises de bois, tandis que leurs enfants jouaient sous les arbres. Une marchande de plaisirs, portant sa caisse en forme de tambour, lui rappela la marchande de plaisirs de l'allée des Veuves, et il lui sembla qu'entre ces deux rencontres tout un âge de sa vie s'était écoulé. Il traversa la place de la Révolution. Dans le jardin des Tuileries, il entendit gronder au loin l'immense rumeur des grands jours, ces voix unanimes que les ennemis de la Révolution prétendaient s'être tues pour jamais. Il hâta le pas dans la clameur grandissante, gagna la rue Honoré et la trouva couverte d'une foule d'hommes et de femmes, qui criaient : " Vive la République! Vive la Liberté! " Les murs des jardins, les fenêtres, les balcons, les toits étaient pleins de specta-

teurs qui agitaient des chapeaux et des mouchoirs. Précéd
d'un sapeur qui faisait place au cortège, entouré d'officier
municipaux, de gardes nationaux, de canonniers, d
gendarmes, de hussards, s'avançait lentement, sur le
têtes des citoyens, un homme au teint bilieux, le fron
ceint d'une couronne de chêne, le corps envelopp
d'une vieille lévite verte à collet d'hermine. Les femme
lui jetaient des fleurs. Il promenait autour de lui l
regard perçant de ses yeux jaunes, comme si, dans cett
multitude enthousiaste, il cherchait encore des ennemi
du peuple à dénoncer, des traîtres à punir. Sur so
passage, Gamelin, tête nue, mêlant sa voix à cent mill
voix, cria :

" Vive Marat! "

Le triomphateur entra comme le Destin dans la salle d
la Convention. Tandis que la foule s'écoulait lentement
Gamelin, assis sur une borne de la rue Honoré, contenai
de sa main les battements de son cœur. Ce qu'il venait d
voir le remplissait d'une émotion sublime et d'un enthou
siasme ardent.

Il vénérait, chérissait Marat qui, malade, les veines e
feu, dévoré d'ulcères, épuisait le reste de ses forces a
service de la République, et, dans sa pauvre maison
ouverte à tous, l'accueillait les bras ouverts, lui parlai
avec le zèle du bien public, l'interrogeait parfois sur le
desseins des scélérats. Il admirait que les ennemis du juste
en conspirant sa perte, eussent préparé son triomphe;
bénissait le tribunal révolutionnaire qui, en acquittan
l'Ami du peuple, avait rendu à la Convention le plus zél
et le plus pur de ses législateurs. Ses yeux revoyaient cett
tête brûlée de fièvre, ceinte de la couronne civique, c
visage empreint d'un vertueux orgueil et d'un impi
toyable amour, cette face ravagée, décomposée, puissante
cette bouche crispée, cette large poitrine, cet agonisan
robuste qui, du haut du char vivant de son triomphe

semblait dire à ses concitoyens : " Soyez, à mon exemple, patriotes jusqu'à la mort. "

La rue était déserte, la nuit la couvrait de son ombre; l'allumeur de lanternes passait avec son falot, et Gamelin murmurait :

" Jusqu'à la mort!... "

V

A neuf heures du matin, Évariste trouva dans le jardin du Luxembourg Élodie qui l'attendait sur un banc.

Depuis un mois qu'ils avaient échangé leurs aveux d'amour, ils se voyaient tous les jours, à l'*Amour peintre* ou à l'atelier de la place de Thionville, très tendrement, et toutefois avec une réserve qu'imposait à leur intimité le caractère d'un amant grave et vertueux, déiste et bon citoyen, qui, prêt à s'unir à sa chère maîtresse devant la loi ou devant Dieu seul, selon les circonstances, ne le voulait faire qu'au grand jour et publiquement. Élodie reconnaissait tout ce que cette résolution avait d'honorable; mais, désespérant d'un mariage que tout rendait impossible et se refusant à braver les convenances sociales, elle envisageait au-dedans d'elle-même une liaison que le secret eût rendue décente jusqu'à ce que la durée l'eût rendue respectable. Elle pensait vaincre, un jour, les scrupules d'un amant trop respectueux; et, ne voulant pas tarder à lui faire des révélations nécessaires, elle lui avait demandé une heure d'entretien dans le jardin désert, près du couvent des Chartreux.

Elle le regarda d'un air de tendresse et de franchise, lui prit la main, le fit asseoir à son côté et lui parla avec recueillement :

“ Je vous estime trop pour rien vous cacher, Evariste. Je me crois digne de vous, je ne le serais pas si je ne vous disais pas tout. Entendez-moi et soyez mon juge. Je n'ai à me reprocher aucune action vile, basse ou seulement intéressée. J'ai été faible et crédule.... Ne perdez pas de vue, mon ami, les circonstances difficiles dans lesquelles j'étais placée. Vous le savez : je n'avais plus de mère; mon père, encore jeune, ne songeait qu'à ses amusements et ne s'occupait pas de moi. J'étais sensible; la nature m'avait douée d'un cœur tendre et d'une âme généreuse; et, bien qu'elle ne m'eût pas refusé un jugement ferme et sain, le sentiment alors l'emportait en moi sur la raison. Hélas! il l'emporterait encore aujourd'hui, s'ils ne s'accordaient tous deux, Évariste, pour me donner à vous entièrement et à jamais! "

Elle s'exprimait avec mesure et fermeté. Ses paroles étaient préparées; depuis longtemps elle avait résolu de faire sa confession, parce qu'elle était franche, parce qu'elle se plaisait à imiter Jean-Jacques et parce qu'elle se disait raisonnablement : " Évariste saura, quelque jour, des secrets dont je ne suis pas seule dépositaire; il vaut mieux qu'un aveu, dont la liberté est toute à ma louange, l'instruise de ce qu'il aurait appris un jour à ma honte. " Tendre comme elle était et docile à la nature, elle ne se sentait pas très coupable et sa confession en était moins pénible; elle comptait bien, d'ailleurs, ne dire que le nécessaire.

" Ah! soupira-t-elle, que n'êtes-vous venu à moi, cher Évariste, à ces moments où j'étais seule, abandonnée?... "

Gamelin avait pris à la lettre la demande que lui avait faite Élodie d'être son juge. Préparé de nature et par éducation littéraire à l'exercice de la justice domestique, il s'apprêtait à recevoir les aveux d'Élodie.

Comme elle hésitait, il lui fit signe de parler.

Elle dit très simplement :

" Un jeune homme, qui parmi de mauvaises qualités en avait de bonnes et ne montrait que celles-là, me trouva quelque attrait et s'occupa de moi avec une assiduité qui surprenait chez lui : il était à la fleur de la vie, plein de grâce et lié avec des femmes charmantes qui ne se cachaient point de l'adorer. Ce ne fut pas par sa beauté ni même par son esprit qu'il m'intéressa.... Il sut me toucher en me témoignant de l'amour, et je crois qu'il m'aimait vraiment. Il fut tendre, empressé. Je ne demandai d'engagements qu'à son cœur, et son cœur était mobile.... Je n'accuse que moi; c'est ma confession que je fais, et non la sienne. Je ne me plains pas de lui, puisqu'il m'est devenu étranger. Ah! je vous jure, Évariste, il est pour moi comme s'il n'avait jamais été! "

Elle se tut. Gamelin ne répondit rien. Il croisait les bras; son regard était fixe et sombre. Il songeait en même temps à sa maîtresse et à sa sœur Julie. Julie aussi avait écouté un amant; mais, bien différente, pensait-il, de la malheureuse Élodie, elle s'était fait enlever, non point dans l'erreur d'un cœur sensible, mais pour trouver, loin des siens, le luxe et le plaisir. En sa sévérité, il avait condamné sa sœur et il inclinait à condamner sa maîtresse.

Élodie reprit d'une voix très douce :

" J'étais imbue de philosophie; je croyais que les hommes étaient naturellement honnêtes. Mon malheur fut d'avoir rencontré un amant qui n'était pas formé à l'école de la nature et de la morale, et que les préjugés sociaux, l'ambition, l'amour-propre, un faux point d'honneur avaient fait égoïste et perfide. "

Ces paroles calculées produisirent l'effet voulu. Les yeux de Gamelin s'adoucirent. Il demanda :

" Qui était votre séducteur? Est-ce que je le connais?

— Vous ne le connaissez pas.

— Nommez-le-moi. "

Elle avait prévu cette demande et était résolue à ne pas la satisfaire.

Elle donna ses raisons.

“ Épargnez-moi, je vous prie. Pour vous comme pour moi, j’en ai déjà trop dit. ”

Et, comme il insistait :

“ Dans l’intérêt sacré de notre amour, je ne vous dirai rien qui précise à votre esprit cet... étranger. Je ne veux pas jeter un spectre à votre jalousie; je ne veux pas mettre une ombre importune entre vous et moi. Ce n’est pas quand j’ai oublié cet homme que je vous le ferai connaître. ”

Gamelin la pressa de lui livrer le nom du séducteur : c’est le terme qu’il employait obstinément, car il ne doutait pas qu’Élodie n’eût été séduite, trompée, abusée. Il ne concevait même pas qu’il en eût pu être autrement, et qu’elle eût obéi au désir, à l’irrésistible désir, écouté les conseils intimes de la chair et du sang; il ne concevait pas que cette créature voluptueuse et tendre, cette belle victime, se fût offerte; il fallait, pour contenter son génie, qu’elle eût été prise par force ou par ruse, violentée, précipitée dans des pièges tendus sous tous ses pas. Il lui faisait des questions mesurées dans les termes, mais précises, serrées, gênantes. Il lui demandait comment s’était formée cette liaison, si elle avait été longue ou courte, tranquille ou troublée, et de quelle manière elle s’était rompue. Et il revenait sans cesse sur les moyens qu’avait employés cet homme pour la séduire, comme s’il avait dû en employer d’étranges et d’inouïs. Toutes ces questions, il les fit en vain. Avec une obstination douce et suppliante, elle se taisait, la bouche serrée et les yeux gros de larmes.

Pourtant, Évariste ayant demandé où était à présent cet homme, elle répondit :

“ Il a quitté le royaume. ”

Elle se reprit vivement :

“ ... la France.

— Un émigré ! ” s’écria Gamelin.

Elle le regarda, muette, à la fois rassurée et attristée de

le voir se créer lui-même une vérité conforme à ses passions politiques, et donner à sa jalousie gratuitement une couleur jacobine.

En fait, l'amant d'Élodie était un petit clerc de procureur très joli garçon, chérubin saute-ruisseau, qu'elle avait adoré et dont le souvenir après trois ans lui donnait encore une chaleur dans le sein. Il recherchait les femmes riches et âgées : il quitta Élodie pour une dame expérimentée qui récompensait ses mérites. Entré, après la suppression des offices, à la mairie de Paris, il était maintenant un dragon sans-culotte et le greluchon d'une ci-devant.

" Un noble! un émigré! répétait Gamelin, qu'elle se gardait bien de détromper, n'ayant jamais souhaité qu'il sût toute la vérité. Et il t'a lâchement abandonnée? "

Elle inclina la tête.

Il la pressa sur son cœur :

" Chère victime de la corruption monarchique, mon amour te vengera de cet infâme. Puisse le ciel me le faire rencontrer! Je saurai le reconnaître! "

Elle détourna la tête, tout ensemble attristée et souriante, et déçue. Elle l'aurait voulu plus intelligent des choses de l'amour, plus naturel, plus brutal. Elle sentait qu'il ne pardonnait si vite que parce qu'il avait l'imagination froide et que la confidence qu'elle venait de lui faire n'éveillait en lui aucune de ces images qui torturent les voluptueux, et qu'enfin il ne voyait dans cette séduction qu'un fait moral et social.

Ils s'étaient levés et suivaient les vertes allées du jardin. Il lui disait que, d'avoir souffert, il l'en estimait plus. Élodie n'en demandait pas tant; mais, tel qu'il était, elle l'aimait, et elle admirait le génie des arts qu'elle voyait briller en lui.

Au sortir du Luxembourg, ils rencontrèrent des attroupements dans la rue de l'Égalité et tout autour du Théâtre de la Nation, ce qui n'était point pour les surprendre :

depuis quelques jours une grande agitation régnait dans les sections les plus patriotes; on y dénonçait la faction d'Orléans et les complices de Brissot, qui conjuraient, disait-on, la ruine de Paris et le massacre des républicains. Et Gamelin lui-même avait signé, peu auparavant, la pétition de la Commune qui demandait l'exclusion des Vingt et un.

Près de passer sous l'arcade qui reliait le théâtre à la maison voisine, il leur fallut traverser un groupe de citoyens en carmagnole que haranguait, du haut de la galerie, un jeune militaire beau comme l'Amour de Praxitèle sous son casque de peau de panthère. Ce soldat charmant accusait l'Ami du peuple d'indolence. Il disait :

" Tu dors, Marat, et les fédéralistes nous forgent des fers! "

A peine Élodie eut-elle tourné les yeux sur lui :

" Venez, Évariste! " fit-elle vivement.

La foule, disait-elle, l'effrayait, et elle craignait de s'évanouir dans la presse.

Ils se quittèrent sur la place de la Nation, en se jurant un amour éternel.

Ce matin-là, de bonne heure, le citoyen Brotteaux avait fait à la citoyenne Gamelin le présent magnifique d'un chapon. C'eût été de sa part une imprudence de dire comment il se l'était procuré : car il le tenait d'une dame de la Halle à qui, sur la pointe Eustache, il servait parfois de secrétaire, et l'on savait que les dames de la Halle nourrissaient des sentiments royalistes et correspondaient avec les émigrés. La citoyenne Gamelin avait reçu le chapon d'un cœur reconnaissant. On ne voyait guère de telles pièces alors : les vivres enchérissaient. Le peuple craignait la famine; les aristocrates, disait-on, la souhaitaient, les accapareurs la préparaient.

Le citoyen Brotteaux, prié de manger sa part du chapon

au dîner de midi, se rendit à cette invitation et félicita son hôtesse de la suave odeur de cuisine qu'on respirait chez elle. Et, de fait, l'atelier du peintre sentait le bouillon gras.

« Vous êtes bien honnête, monsieur, répondit la bonne dame. Pour préparer l'estomac à recevoir votre chapon, j'ai fait une soupe aux herbes avec une couenne de lard et un gros os de bœuf. Il n'y a rien qui embaume un potage comme un os à moelle.

—Cette maxime est louable, citoyenne, répliqua le vieux Brotteaux. Et vous ferez sagement de remettre demain, après-demain et tout le reste de la semaine, ce précieux os dans la marmite, qu'il ne manquera point de parfumer. La sibylle de Panzoust procédait de la sorte : elle faisait un potage de choux verts avec une couenne de lard jaune et un vieil savorados. Ainsi nomme-t-on dans son pays, qui est aussi le mien, l'os médullaire si savoureux et succulent.

—Cette dame dont vous parlez, monsieur, fit la citoyenne Gamelin, n'était-elle pas un peu regardante, de faire servir si longtemps le même os?

— Elle menait petit train, répondit Brotteaux. Elle était pauvre, bien que prophétesse. »

A ce moment, Évariste Gamelin rentra, tout ému des aveux qu'il venait de recevoir et se promettant de connaître le séducteur d'Élodie, pour venger en même temps sur lui la République et son amour.

Après les politesses ordinaires, le citoyen Brotteaux reprit le fil de son discours :

« Il est rare que ceux qui font métier de prédire l'avenir s'enrichissent. On s'aperçoit trop vite de leurs supercheries. Leur imposture les rend haïssables. Mais il faudrait les détester bien davantage s'ils annonçaient vraiment l'avenir. Car la vie d'un homme serait intolérable, s'il savait ce qui lui doit arriver. Il découvrirait des maux futurs, dont il souffrirait par avance, et il ne jouirait plus des biens présents, dont il verrait la fin. L'ignorance est la condition nécessaire du bonheur des hommes, et il faut reconnaître que, le plus souvent, ils la remplissent bien. Nous ignorons de nous presque tout; d'autrui, tout. L'ignorance fait notre tranquillité; le mensonge, notre félicité. »

La citoyenne Gamelin mit la soupe sur la table, dit le *Benedicite*, fit asseoir son fils et son hôte, et commença de manger debout, refusant la place que le citoyen Brotteaux lui offrait à côté de lui, car elle savait, disait-elle, à quoi la politesse l'obligeait.

VI

Dix heures du matin. Pas un souffle d'air. C'était le mois de juillet le plus chaud qu'on eût connu. Dans l'étroite rue de Jérusalem, une centaine de citoyens de la section faisaient la queue à la porte du boulanger, sous la surveillance de quatre gardes nationaux qui, l'arme au repos, fumaient leur pipe.

La Convention nationale avait décrété le *maximum* : aussitôt grains, farine avaient disparu. Comme les Israélites au désert, les Parisiens se levaient avant le jour s'ils voulaient manger. Tous ces gens, serrés les uns contre les autres, hommes, femmes, enfants, sous un ciel de plomb fondu, qui chauffait les pourritures des ruisseaux et exaltait les odeurs de sueur et de crasse, se bousculaient, s'interpellaient, se regardaient avec tous les sentiments que les êtres humains peuvent éprouver les uns pour les autres, antipathie, dégoût, intérêt, désir, indifférence. On avait appris, par une expérience douloureuse, qu'il n'y avait pas de pain pour tout le monde : aussi les derniers venus cherchaient-ils à se glisser en avant; ceux qui perdaient du terrain se plaignaient et s'irritaient et invoquaient vainement leur droit méprisé. Les femmes jouaient avec rage des coudes et des reins pour conserver leur place ou en gagner une meilleure. Si la presse devenait plus étouffante, des cris s'élevaient : “ Ne poussez pas ! ” Et chacun protestait, se disant poussé soi-même.

Pour éviter ces désordres quotidiens, les commissaires délégués par la section avaient imaginé d'attacher à la porte du boulanger une corde que chacun tenait à son rang; mais les mains trop rapprochées se rencontraient sur la corde et entraient en lutte. Celui qui la quittait ne parvenait point à la reprendre. Les mécontents ou les plaisants la coupaient, et il avait fallu y renoncer.

Dans cette queue, on suffoquait, on croyait mourir, on faisait des plaisanteries, on lançait des propos grivois, on jetait des invectives aux aristocrates et aux fédéralistes, auteurs de tout le mal. Quand un chien passait, des plaisants l'appelaient Pitt. Parfois retentissait un large soufflet, appliqué par la main d'une citoyenne sur la joue d'un insolent, tandis que, pressée par son voisin, une jeune servante, les yeux mi-clos et la bouche entrouverte, soupirait mollement. A toute parole, à tout geste, à toute attitude propre à mettre en éveil l'humeur grivoise des aimables Français, un groupe de jeunes libertins entonnait le *Ça ira*, malgré les protestations d'un vieux jacobin, indigné que l'on compromît en de sales équivoques un refrain qui exprimait la foi républicaine dans un avenir de justice et de bonheur.

Son échelle sous le bras, un afficheur vint coller sur un mur, en face de la boulangerie, un avis de la Commune rationnant la viande de boucherie. Des passants s'arrêtaient pour lire la feuille encore toute gluante. Une marchande de choux, qui cheminait sa hotte sur le dos, se mit à dire de sa grosse voix cassée :

“ Ils sont partis, les beaux bœufs! ratissons-nous les boyaux. ”

Tout à coup une telle bouffée de puanteur ardente monta d'un égout, que plusieurs furent pris de nausées; une femme se trouva mal et fut remise évanouie à deux gardes nationaux qui la portèrent à quelques pas de là, sous une pompe. On se bouchait le nez; une rumeur grondait; des paroles s'échangeaient, pleines d'angoisse et d'épouvante. On se demandait si c'était quelque animal enterré là, ou bien un poison mis par malveillance, ou plutôt un massacré de Septembre, noble ou prêtre, oublié dans une cave du voisinage.

« On en a donc mis là?

— On en a mis partout!

— Ce doit être un de ceux du Châtelet. Le 2, j'en ai vu trois cents en tas sur le Pont au Change. »

Les Parisiens craignaient la vengeance de ces ci-devant qui, morts, les empoisonnaient.

Évariste Gamelin vint prendre la queue : il avait voulu éviter à sa vieille mère les fatigues d'une longue station. Son voisin, le citoyen Brotteaux, l'accompagnait, calme, souriant, son Lucrèce dans la poche béante de sa redingote puce.

Le bon vieillard vanta cette scène comme une bambochade digne du pinceau d'un moderne Téniers.

« Ces portefaix et ces commères, dit-il, sont plus plaisants que les Grecs et les Romains si chers aujourd'hui à nos peintres. Pour moi, j'ai toujours goûté la manière flamande. »

Ce qu'il ne rappelait point, par sagesse et bon goût, c'est qu'il avait possédé une galerie de tableaux hollandais que le seul cabinet de M. de Choiseul égalait pour le nombre et le choix des peintures.

« Il n'y a de beau que l'antique, répondit le peintre, et ce qui en est inspiré : mais je vous accorde que les bambochades de Téniers, de Steen ou d'Ostade valent mieux que les fanfreluches de Watteau, de Boucher ou de Van Loo : l'humanité y est enlaidie, mais non point avilie comme par un Baudouin ou un Fragonard. »

Un aboyeur passa, criant :

« *Le Bulletin du Tribunal révolutionnaire!...* la liste des condamnés!

— Ce n'est point assez d'un tribunal révolutionnaire, dit Gamelin. Il en faut un dans chaque ville.... Que dis-je? dans chaque commune, dans chaque canton. Il faut que tous les pères de famille, que tous les citoyens s'érigent en juges. Quand la nation se trouve sous le canon des ennemis et sous le poignard des traîtres, l'indulgence est parricide. Quoi! Lyon, Marseille, Bordeaux insurgées, la Corse révoltée, la Vendée en feu, Mayence et Valenciennes tombées au pouvoir de la coalition, la trahison dans les campagnes, dans les villes, dans les camps, la trahison siégeant sur les bancs de la Convention nationale, la trahison assise, une carte à la main, dans les conseils de guerre de nos généraux!... Que la guillotine sauve la patrie!

— Je n'ai pas d'objection essentielle à faire contre la guillotine, répliqua le vieux Brotteaux. La nature, ma seule maîtresse et ma seule institutrice, ne m'avertit en effet d'aucune manière que la vie d'un homme ait quelque prix; elle enseigne au contraire, de toutes sortes de manières, qu'elle n'en a aucun. L'unique fin des êtres semble de devenir la pâture d'autres êtres destinés à la même fin. Le meurtre est de droit naturel : en conséquence la peine de mort est légitime, à la condition qu'on ne l'exerce ni par vertu ni par justice, mais par nécessité ou pour en tirer quelque profit. Cependant il faut que j'aie des instincts pervers, car je répugne à voir couler le sang, et c'est une dépravation que toute ma philosophie n'est pas encore parvenue à corriger.

— Les républicains, reprit Évariste, sont humains et sensibles. Il n'y a que les despotes qui soutiennent que la peine de mort est un attribut nécessaire de l'autorité. Le peuple souverain l'abolira un jour. Robespierre l'a combattue, et avec lui tous les patriotes; la loi qui la supprime ne saurait être trop tôt promulguée. Mais elle ne devra être appliquée que lorsque le dernier ennemi de la République aura péri sous le glaive de la loi. "

Gamelin et Brotteaux avaient maintenant derrière eux des retardataires, et parmi ceux-là plusieurs femmes de la section; entre autres une belle grande tricoteuse, en fanchon et en sabots, portant un sabre en bandoulière, une jolie fille blonde, ébouriffée, dont le fichu était très chiffonné, et une jeune mère qui, maigre et pâle, donnait le sein à un enfant malingre.

L'enfant, qui ne trouvait plus de lait, criait, mais ses cris étaient faibles et les sanglots l'étouffaient. Pitoyablement petit, le teint blême et brouillé, les yeux enflammés, sa mère le contemplait avec une sollicitude douloureuse.

“ Il est bien jeune, dit Gamelin en se retournant vers le malheureux nourrisson, qui gémissait contre son dos, dans la presse étouffante des derniers arrivés.

— Il a six mois, le pauvre amour!... Son père est à l'armée : il est de ceux qui ont repoussé les Autrichiens à Condé. Il se nomme Dumonteil (Michel), commis drapier de son état. Il s'est enrôlé, dans un théâtre qu'on avait dressé devant l'hôtel de ville. Le pauvre ami voulait défendre sa patrie et voir du pays.... Il m'écrit de prendre patience. Mais comment voulez-vous que je nourrisse Paul... (c'est Paul qu'il se nomme)... puisque je ne peux pas me nourrir moi-même?

— Ah! s'écria la jolie fille blonde, nous en avons encore pour une heure, et il faudra, ce soir, recommencer la même cérémonie à la porte de l'épicière. On risque la mort pour avoir trois œufs et un quarteron de beurre.

— Du beurre, soupira la citoyenne Dumonteil, voilà trois mois que je n'en ai vu! ”

Et le chœur des femmes se lamenta sur la rareté et la cherté des vivres, jeta des malédictions aux émigrés et voua à la guillotine les commissaires de sections qui donnaient à des femmes dévergondées, au prix de honteuses faveurs, des poulardes et des pains de quatre livres. On sema des histoires alarmantes de bœufs noyés dans la

Seine, de sacs de farine vidés dans les égouts, de pains jetés dans les latrines.... C'étaient les affameurs royalistes, rolandins, brissotins, qui poursuivaient l'extermination du peuple de Paris.

Tout à coup la jolie fille blonde, au fichu chiffonné, poussa des cris comme si elle avait le feu à ses jupes, qu'elle secouait violemment et dont elle retournait les poches, proclamant qu'on lui avait volé sa bourse.

Au bruit de ce larcin, une grande indignation souleva ce menu peuple, qui avait pillé les hôtels du faubourg Saint-Germain et envahi les Tuileries sans rien emporter, artisans et ménagères, qui eussent de bon cœur brûlé le château de Versailles, mais se fussent crus déshonorés s'ils y avaient dérobé une épingle. Les jeunes libertins risquèrent sur la mésaventure de la belle enfant quelques méchantes plaisanteries, aussitôt étouffées sous la rumeur publique. On parlait déjà de pendre le voleur à la lanterne. On entamait une enquête tumultueuse et partiale. La grande tricoteuse, montrant du doigt un vieillard soupçonné d'être un moine défroqué, jurait que c'était " le capucin " qui avait fait le coup. La foule, aussitôt persuadée, poussa des cris de mort.

Le vieillard si vivement dénoncé à la vindicte publique se tenait fort modestement devant le citoyen Brotteaux. Il avait toute l'apparence, à vrai dire, d'un ci-devant religieux. Son air était assez vénérable, bien qu'altéré par le trouble que causaient à ce pauvre homme les violences de la foule et le souvenir encore vif des journées de Septembre. La crainte qui se peignait sur son visage le rendait suspect au populaire, qui croit volontiers que seuls les coupables ont peur de ses jugements, comme si la précipitation inconsidérée avec laquelle il les rend ne devait pas effrayer jusqu'aux plus innocents.

Brotteaux s'était donné pour loi de ne jamais contrarier le sentiment populaire, surtout quand il se montrait absurde et féroce, " parce qu'alors, disait-il, la voix du peuple était la voix de Dieu ". Mais Brotteaux était inconséquent : il déclara que cet homme, qu'il fût capucin ou ne le fût point, n'avait pu dérober la citoyenne, dont il ne s'était pas approché un seul moment.

La foule conclut que celui qui défendait le voleur était son complice, et l'on parlait maintenant de traiter avec rigueur les deux malfaiteurs, et, quand Gamelin se porta garant de Brotteaux, les plus sages parlèrent de l'envoyer avec les deux autres à la section.

Mais la jolie fille s'écria tout à coup joyeusement qu'elle avait retrouvé sa bourse. Aussitôt elle fut couverte de huées et menacée d'être fessée publiquement, comme une nonne.

" Monsieur, dit le religieux à Brotteaux, je vous remercie d'avoir pris ma défense. Mon nom importe peu, mais je vous dois de vous le dire : je me nomme Louis de Longuemare. Je suis un régulier, en effet; mais non pas un capucin, comme l'ont dit ces femmes. Il s'en faut de tout : je suis clerc régulier de l'ordre des Barnabites, qui donna des docteurs et des saints en foule à l'Église. Ce n'est point assez d'en faire remonter l'origine à saint Charles Borromée : on doit considérer comme son véritable fondateur l'apôtre saint Paul, dont il porte le monogramme dans ses armoiries. J'ai dû quitter mon couvent devenu le siège de la section du Pont-Neuf et porter un habit séculier.

— Mon Père, dit Brotteaux, en examinant la souquenille de M. de Longuemare, votre habit témoigne suffisamment que vous n'avez pas renié votre état : à le voir, on croirait que vous avez réformé votre ordre plutôt que vous ne l'avez quitté. Et vous vous exposez bénévolement, sous ces dehors austères, aux injures d'une populace impie.

— Je ne puis pourtant pas, répondit le religieux, porter un habit bleu, comme un danseur!

— Mon Père, ce que je dis de votre habit est pour rendre hommage à votre caractère et vous mettre en garde contre les dangers que vous courez.

— Monsieur, il conviendrait, tout au contraire, de m'encourager à confesser ma foi. Car je ne suis que trop enclin à craindre le péril. J'ai quitté mon habit, monsieur, ce qui est une manière d'apostasie; j'aurais voulu du moins ne pas quitter la maison où Dieu m'accorda durant tant d'années la grâce d'une vie paisible et cachée. J'obtins d'y demeurer; et j'y gardai ma cellule, tandis qu'on transformait l'église et le cloître en une sorte de petit hôtel de ville qu'ils nommaient la section. Je vis, monsieur, je vis marteler les emblèmes de la sainte vérité; je vis le nom de l'apôtre Paul remplacé par un bonnet de forçat. Parfois même j'assistai aux conciliabules de la section, et j'y entendis exprimer d'étonnantes erreurs. Enfin je quittai cette demeure profanée et j'allai vivre de la pension de cent pistoles que me fait l'Assemblée dans une écurie dont on a réquisitionné les chevaux pour le service des armées. Là je dis la messe devant quelques fidèles, qui y viennent attester l'éternité de l'Église de Jésus-Christ.

— Moi, mon Père, répondit l'autre, si vous voulez le savoir, je me nomme Brotteaux et fus jadis publicain.

— Monsieur, répliqua le Père Longuemare, je savais, par l'exemple de saint Matthieu, qu'on peut attendre une bonne parole d'un publicain.

— Mon Père, vous êtes trop honnête.

— Citoyen Brotteaux, dit Gamelin, admirez ce bon peuple plus affamé de justice que de pain : chacun ici était prêt à quitter sa place pour châtier le voleur. Ces hommes, ces femmes si pauvres, soumis à tant de privations, sont d'une probité sévère, et ne peuvent tolérer un acte malhonnête.

— Il faut convenir, répondit Brotteaux, que, dans leur grande envie de pendre le larron, ces gens-ci eussent fait un mauvais parti à ce bon religieux, à son défenseur et au défenseur de son défenseur. Leur avarice même et l'amour égoïste qu'ils portent à leur bien les y poussaient : le larron, en s'attaquant à l'un d'eux, les menaçait tous; ils se préservaient en le punissant.... Au reste, il est probable que la plupart de ces manouvriers et de ces ménagères sont probes et respectueux du bien d'autrui. Ces sentiments leur ont été inculqués dès l'enfance par leurs père et mère qui les ont suffisamment fessés, et leur ont fait entrer les vertus par le cul. "

Gamelin ne cacha pas au vieux Brotteaux qu'un tel langage lui semblait indigne d'un philosophe.

" La vertu, dit-il, est naturelle à l'homme : Dieu en a déposé le germe dans le cœur des mortels. "

Le vieux Brotteaux était athée et tirait de son athéisme une source abondante de délices.

" Je vois, citoyen Gamelin, que, révolutionnaire pour ce qui est de la terre, vous êtes, quant au ciel, conservateur et même réacteur. Robespierre et Marat le sont autant que vous. Et je trouve singulier que les Français, qui ne souffrent plus de roi mortel, s'obstinent à en garder un immortel, beaucoup plus tyrannique et féroce. Car qu'est-ce que la Bastille et même la chambre ardente, auprès de l'enfer? L'humanité copie ses dieux sur ses tyrans, et vous, qui rejetez l'original, vous gardez la copie!

— Oh! citoyen! s'écria Gamelin, n'avez-vous pas honte de tenir ce langage? et pouvez-vous confondre les sombres divinités conçues par l'ignorance et la peur avec l'Auteur de la nature? La croyance en un Dieu bon est nécessaire à la morale. L'Être suprême est la source de toutes les vertus, et l'on n'est pas républicain si l'on ne croit en Dieu. Robespierre le savait bien, qui fit enlever de la salle des Jacobins ce buste du philosophe Helvétius, coupable d'avoir disposé les Français à la servitude en leur enseignant l'athéisme.... J'espère, du moins, citoyen

Brotteaux, que, lorsque la République aura institué le culte de la Raison, vous ne refuserez pas votre adhésion à une religion si sage.

— J'ai l'amour de la raison, je n'en ai pas le fanatisme, répondit Brotteaux. La raison nous guide et nous éclaire; quand vous en aurez fait une divinité, elle vous aveuglera et vous persuadera des crimes. "

Et Brotteaux continua de raisonner, les pieds dans le ruisseau, ainsi qu'il le faisait naguère dans un de ces fauteuils dorés du baron d'Holbach, qui, selon son expression, servaient de fondement à la philosophie naturelle :

" Jean-Jacques Rousseau, dit-il, qui montra quelques talents, surtout en musique, était un jean-fesse qui prétendait tirer sa morale de la nature et qui la tirait en réalité des principes de Calvin. La nature nous enseigne à nous entre-dévorer et elle nous donne l'exemple de tous les crimes et de tous les vices que l'état social corrige ou dissimule. On doit aimer la vertu; mais il est bon de savoir que c'est un simple expédient imaginé par les hommes pour vivre commodément ensemble. Ce que nous appelons la morale n'est qu'une entreprise désespérée de nos semblables contre l'ordre universel, qui est la lutte, le carnage et l'aveugle jeu de forces contraires. Elle se détruit elle-même, et, plus j'y pense, plus je me persuade que l'univers est enragé. Les théologiens et les philosophes, qui font de Dieu l'auteur de la nature et l'architecte de l'univers, nous le font paraître absurde et méchant. Ils le disent bon, parce qu'ils le craignent, mais ils sont forcés de convenir qu'il agit d'une façon atroce. Ils lui prêtent une malignité rare même chez l'homme. Et c'est par là qu'ils le rendent adorable sur la terre. Car notre misérable race ne vouerait pas un culte à des Dieux justes et bienveillants, dont elle n'aurait rien à craindre; elle ne garderait point de leurs bienfaits une reconnaissance inutile. Sans le purgatoire et l'enfer, le bon Dieu ne serait qu'un pauvre sire.

— Monsieur, dit le Père Longuemare, ne parlez point de la nature : vous ne savez ce que c'est.

— Pardieu, je le sais aussi bien que vous, mon Père!

— Vous ne pouvez pas le savoir, puisque vous n'avez pas de religion et que la religion seule nous enseigne ce qu'est la nature, en quoi elle est bonne et comment elle a été dépravée. Au reste, ne vous attendez pas à ce que je vous réponde : Dieu ne m'a donné, pour réfuter vos erreurs, ni la chaleur du langage ni la force de l'esprit. Je craindrais de ne vous fournir, par mon insuffisance, que des occasions de blasphème et des causes d'endurcissement, et, lorsque je sens un vif désir de vous servir, je ne recueillerais pour tout fruit de mon indiscrète charité que.... »

Ce propos fut interrompu par une immense clameur qui, partie de la tête de la colonne, avertit la file entière des affamés que la boulangerie ouvrait ses portes. On commença d'avancer mais avec une extrême lenteur. Un garde national de service faisait entrer les acheteurs, un par un. Le boulanger, sa femme et son garçon étaient assistés dans la vente des pains par deux commissaires civils qui, un ruban tricolore au bras gauche, s'assuraient que le consommateur appartenait à la section et qu'on ne lui délivrait que la part proportionnelle aux bouches qu'il avait à nourrir.

Le citoyen Brotteaux faisait de la recherche du plaisir la fin unique de la vie : il estimait que la raison et les sens, seuls juges en l'absence des Dieux, n'en pouvaient concevoir une autre. Or, trouvant dans les propos du peintre un peu trop de fanatisme et dans ceux du religieux un peu trop de simplicité pour y prendre grand plaisir, cet homme sage, afin de conformer sa conduite à sa doctrine dans les conjonctures présentes, et charmer l'attente encore longue, tira de la poche béante de sa redingote puce son Lucrèce, qui demeurait ses plus chères délices et son vrai contentement. La reliure de maroquin rouge était écornée par l'usage et le citoyen Brotteaux en avait prudemment gratté les armoiries, les trois îlots d'or achetés à beaux deniers comptants par le traitant son père. Il ouvrit le livre à l'endroit où le poète philosophe, qui veut guérir les hommes des vains troubles de l'amour, surprend une femme entre les bras de ses servantes dans un état qui offenserait tous les sens d'un amant. Le citoyen Brotteaux lut ces vers, non toutefois sans jeter les yeux sur la nuque dorée de sa jolie voisine ni sans respirer avec volupté la peau moite de cette petite souillon. Le poète Lucrèce n'avait qu'une sagesse; son disciple Brotteaux en avait plusieurs.

Il lisait, faisant deux pas tous les quarts d'heure. A son oreille, réjouie par les cadences graves et nombreuses de la muse latine, jaillissait en vain la criaillerie des commères sur l'enchérissement du pain, du sucre, du café, de la chandelle et du savon. C'est ainsi qu'il atteignit avec sérénité le seuil de la boulangerie. Derrière lui, Évariste Gamelin voyait au-dessus de sa tête la gerbe dorée sur la grille de fer qui fermait l'imposte.

A son tour, il entra dans la boutique : les paniers, les casiers étaient vides; le boulanger lui délivra le seul morceau de pain qui restât et qui ne pesait pas deux livres. Évariste paya, et l'on ferma la grille sur ses talons, de peur que le peuple en tumulte n'envahît la boulangerie. Mais ce n'était pas à craindre : ces pauvres gens, instruits à l'obéissance par leurs antiques oppresseurs et par leurs libérateurs du jour, s'en furent, la tête basse et traînant la jambe.

Gamelin, comme il atteignait le coin de la rue, vit assise sur une borne la citoyenne Dumonteil, son nourrisson dans ses bras. Elle était sans mouvement, sans couleur, sans larmes, sans regard. L'enfant lui suçait le doigt avidement. Gamelin se tint un moment devant elle, timide, incertain. Elle ne semblait pas le voir.

Il balbutia quelques mots, puis tira son couteau de sa poche, un eustache à manche de corne, coupa son pain par le milieu et en mit la moitié sur les genoux de la jeune mère, qui regarda, étonnée; mais il avait déjà tourné le coin de la rue.

Rentré chez lui, Évariste trouva sa mère assise à la fenêtre, qui reprisait des bas. Il lui mit gaiement son reste de pain dans la main.

" Vous me pardonnerez, ma bonne mère : fatigué d'être si longtemps sur mes jambes, épuisé de chaleur, dans la rue, en rentrant à la maison, bouchée par bouchée, j'ai mangé la moitié de notre ration. Il reste à peine votre part. "

Et il fit mine de secouer les miettes sur sa veste.

VII

Usant d'une très vieille façon de dire, la citoyenne veuve Gamelin l'avait annoncé : " A force de manger des châtaignes, nous deviendrons châtaignes. " Ce jour-là, 13 juillet, elle et son fils avaient dîné, à midi, d'une bouillie de châtaignes. Comme ils achevaient cet austère repas, une dame poussa la porte et emplit soudain l'atelier de son éclat et de ses parfums. Évariste reconnut la citoyenne Rochemaure. Croyant qu'elle se trompait de porte et cherchait le citoyen Brotteaux, son ami d'autrefois, il pensait déjà lui indiquer le grenier du ci-devant ou appeler Brotteaux, pour épargner à une femme élégante de grimper par une échelle de meunier; mais il parut dès l'abord que c'était au citoyen Évariste Gamelin qu'elle avait affaire, car elle se déclara heureuse de le rencontrer et de se dire sa servante.

Ils n'étaient point tout à fait étrangers l'un à l'autre : ils s'étaient vus plusieurs fois dans l'atelier de David, dans une tribune de l'assemblée, aux Jacobins, chez le restaurateur Vénua : elle l'avait remarqué pour sa beauté, sa jeunesse, son air intéressant.

Portant un chapeau enrubanné comme un mirliton et empanaché comme le couvre-chef d'un représentant en mission, la citoyenne Rochemaure était emperruquée, fardée, mouchetée, musquée, la chair fraîche encore sous tant d'apprêts : ces artifices violents de la mode trahissaient la hâte de vivre et la fièvre de ces jours terribles aux lendemains incertains. Son corsage à grands revers et à grandes basques, tout reluisant d'énormes boutons d'acier, était rouge sang, et l'on ne pouvait discerner, tant elle se montrait à la fois aristocrate et révolutionnaire, si elle portait les couleurs des victimes ou celles du bourreau. Un jeune militaire, un dragon, l'accompagnait.

La longue canne de nacre à la main, grande, belle, ample, la poitrine généreuse, elle fit le tour de l'atelier, et, approchant de ses yeux gris son lorgnon d'or à deux branches, elle examina les toiles du peintre, souriant, se récriant, portée à l'admiration par la beauté de l'artiste, et flattant pour être flattée.

“ Qu'est-ce, demanda la citoyenne, que ce tableau si noble et si touchant d'une femme douce et belle près d'un jeune malade? ”

Gamelin répondit qu'il fallait y voir *Oreste veillé par Électre sa sœur*, et que, s'il l'avait pu achever, ce serait peut-être son moins mauvais ouvrage.

“ Le sujet, ajouta-t-il, est tiré de l'*Oreste* d'Euripide. J'avais lu, dans une traduction déjà ancienne de cette tragédie, une scène qui m'avait frappé d'admiration : celle où la jeune Électre, soulevant son frère sur son lit de douleur, essuie l'écume qui lui souille la bouche, écarte de ses yeux les cheveux qui l'aveuglent et prie ce frère chéri d'écouter ce qu'elle lui va dire dans le silence des Furies.... En lisant et relisant cette traduction, je sentais comme un brouillard qui me voilait les formes grecques et que je ne pouvais dissiper. Je m'imaginais le texte original plus nerveux et d'un autre accent. Éprouvant un vif désir de m'en faire une idée exacte, j'allai prier M. Gail, qui professait alors le grec au Collège de France (c'était en 91), de m'expliquer cette scène mot à mot. Il me l'expliqua comme je le lui demandais et je m'aperçus que les anciens sont beaucoup plus simples et plus familiers qu'on ne se l'ima-

ine. Ainsi, Électre dit à Oreste : “ Frère chéri, que ton
“ sommeil m’a causé de joie! Veux-tu que je t’aide à te
“ soulever? ” Et Oreste répond : “ Oui, aide-moi, prends-
“ moi, et essuie ces restes d’écume attachés autour de ma
“ bouche et de mes yeux. Mets ta poitrine contre la mienne
“ et écarte de mon visage ma chevelure emmêlée : car elle
“ me cache les yeux.... ” Tout plein de cette poésie si jeune
t si vive, de ces expressions naïves et fortes, j’esquissai le
ableau que vous voyez, citoyenne. ”

Le peintre, qui, d’ordinaire, parlait si discrètement de
es œuvres, ne tarissait pas sur celle-là. Encouragé par un
igne que lui fit la citoyenne Rochemaure en soulevant
on lorgnon, il poursuivit :

“ Hennequin a traité en maître les fureurs d’Oreste.
Mais Oreste nous émeut encore plus dans sa tristesse que
lans ses fureurs. Quelle destinée que la sienne! C’est par
piété filiale, par obéissance à des ordres sacrés qu’il a
commis ce crime dont les Dieux doivent l’absoudre, mais
que les hommes ne pardonneront jamais. Pour venger la
ustice outragée, il a renié la nature, il s’est fait inhumain,
l s’est arraché les entrailles. Il reste fier sous le poids de
son horrible et vertueux forfait.... C’est ce que j’aurais
voulu montrer dans ce groupe du frère et de la sœur. ”

Il s’approcha de la toile et la regarda avec complaisance.

“ Certaines parties, dit-il, sont à peu près terminées;
la tête et le bras d’Oreste, par exemple.

— C’est un morceau admirable.... Et Oreste vous
ressemble, citoyen Gamelin.

— Vous trouvez? ” fit le peintre avec un sourire grave.

Elle prit la chaise que Gamelin lui tendait. Le jeune
dragon se tint debout à son côté, la main sur le dossier de
la chaise où elle était assise. A quoi l’on pouvait voir que
la Révolution était accomplie, car, sous l’ancien régime,
un homme n’eût jamais, en compagnie, touché seulement
du doigt le siège où se trouvait une dame, formé par

l'éducation aux contraintes, parfois assez rudes, de la politesse, estimant d'ailleurs que la retenue gardée dans la société donne un prix singulier à l'abandon secret et que, pour perdre le respect, il fallait l'avoir.

Louise Masché de Rochemaure, fille d'un lieutenant des chasses du roi, veuve d'un procureur et, durant vingt ans, fidèle amie du financier Brotteaux des Ilettes, avait adhéré aux principes nouveaux. On l'avait vue, en juillet 1790, bêcher la terre du Champ de Mars. Son penchant décidé pour les puissances l'avait portée facilement des feuillants aux girondins et aux montagnards, tandis qu'un esprit de conciliation, une ardeur d'embrassement et un certain génie d'intrigue l'attachaient encore aux aristocrates et aux contre-révolutionnaires. C'était une personne très répandue, fréquentant guinguettes, théâtres, traiteurs à la mode, tripots, salons, bureaux de journaux, antichambres de comités. La Révolution lui apportait nouveautés, divertissements, sourires, joies, affaires, entreprises fructueuses. Nouant des intrigues politiques et galantes, jouant de la harpe, dessinant des paysages, chantant des romances, dansant des danses grecques, donnant à souper, recevant de jolies femmes, comme la comtesse de Beaufort et l'actrice Descoings, tenant toute la nuit table de trente et un et de biribi et faisant rouler la rouge et la noire, elle trouvait encore le temps d'être pitoyable à ses amis. Curieuse, agissante, brouillonne, frivole, connaissant les hommes, ignorant les foules, aussi étrangère aux opinions qu'elle partageait qu'à celles qu'il lui fallait répudier, ne comprenant absolument rien à ce qui se passait en France, elle se montrait entreprenante, hardie et toute pleine d'audace par ignorance du danger et par une confiance illimitée dans le pouvoir de ses charmes.

Le militaire qui l'accompagnait était dans la fleur de la jeunesse. Un casque de cuivre garni d'une peau de panthère, et la crête ornée de chenille ponceau, ombrageait sa tête de chérubin et répandait sur son dos une longue et terrible crinière. Sa veste rouge, en façon de brassière, se gardait de descendre jusqu'aux reins pour n'en pas cacher l'élégante cambrure. Il portait à la ceinture un énorme sabre, dont la poignée en bec d'aigle resplendissait. Une culotte à pont, d'un bleu tendre, moulait les muscles élégants de ses jambes, et des soutaches d'un bleu sombre dessinaient leurs riches arabesques sur ses cuisses. Il avait l'air d'un danseur costumé pour quelque rôle martial et galant, dans *Achille à Scyros* ou *les Noces d'Alexandre*, par un élève de David attentif à serrer la forme.

Gamelin se rappelait confusément l'avoir déjà vu. C'était en effet le militaire qu'il avait rencontré, quinze jours auparavant, haranguant le peuple sur les galeries du Théâtre de la Nation.

La citoyenne Rochemaure le nomma :

" Le citoyen Henry, membre du Comité révolutionnaire de la section des Droits de l'Homme. "

Elle l'avait toujours dans ses jupes, miroir d'amour et certificat vivant de civisme.

La citoyenne félicita Gamelin de ses talents et lui demanda s'il ne consentirait pas à dessiner une carte pour une marchande de modes à qui elle s'intéressait. Il y traiterait un sujet approprié : une femme essayant une écharpe devant une psyché, par exemple, ou une jeune ouvrière portant sous son bras un carton à chapeau.

Comme capables d'exécuter un petit ouvrage de ce genre, on lui avait parlé du fils Fragonard, du jeune Ducis et aussi d'un nommé Prudhomme; mais elle préférait s'adresser au citoyen Évariste Gamelin. Toutefois elle n'en vint, sur cet article, à rien de précis, et l'on sentait qu'elle avait mis cette commande en avant uniquement pour engager la conversation. En effet, elle était venue pour tout autre chose. Elle réclamait du citoyen Gamelin un bon office : sachant qu'il connaissait le citoyen Marat, elle venait lui demander de l'introduire chez l'Ami du peuple, avec qui elle désirait avoir un entretien.

Gamelin répondit qu'il était un trop petit personnage pour la présenter à Marat, et que, du reste, elle n'avait que faire d'un introducteur : Marat, bien qu'accablé d'occupations, n'était pas l'homme invisible qu'on avait dit.

Et Gamelin ajouta :

« Il vous recevra, citoyenne, si vous êtes malheureuse : car son grand cœur le rend accessible à l'infortune et pitoyable à toutes les souffrances. Il vous recevra si vous avez quelque révélation à lui faire intéressant le salut public : il a voué ses jours à démasquer les traîtres. »

La citoyenne Rochemaure répondit qu'elle serait heureuse de saluer en Marat un citoyen illustre, qui avait rendu de grands services au pays, qui était capable d'en rendre de plus grands encore, et qu'elle souhaitait mettre ce législateur en rapport avec des hommes bien intentionnés, des philanthropes favorisés par la fortune et capables de lui fournir des moyens nouveaux de satisfaire son ardent amour de l'humanité.

« Il est désirable, ajouta-t-elle, de faire coopérer les riches à la prospérité publique. »

De vrai, la citoyenne avait promis au banquier Morhardt de le faire dîner avec Marat.

Morhardt, Suisse comme l'Ami du peuple, avait lié partie avec plusieurs députés à la Convention, Julien (de Toulouse), Delaunay (d'Angers) et l'ex-capucin Chabot pour spéculer sur les actions de la Compagnie des Indes. Le jeu, très simple, consistait à faire tomber ces actions à six cent cinquante livres par des motions spoliatrices, afin d'en acheter le plus grand nombre possible à ce prix et de les relever ensuite à quatre mille ou cinq mille livres par des motions rassurantes. Mais Chabot, Julien, Delaunay étaient percés à jour. On suspectait Lacroix, Fabre d'Églantine et même Danton. L'homme de l'agio, le baron de

Batz, cherchait de nouveaux complices à la Convention et conseillait au banquier Morhardt de voir Marat.

Cette pensée des agioteurs contre-révolutionnaires n'était pas aussi étrange qu'elle semblait tout d'abord. Toujours ces gens-là s'efforçaient de se liguer avec les puissances du jour, et, par sa popularité, par sa plume, par son caractère, Marat était une puissance formidable. Les girondins sombraient; les dantonistes, battus par la tempête, ne gouvernaient plus. Robespierre, l'idole du peuple, était d'une probité jalouse, soupçonneux et ne se laissait point approcher. Il importait de circonvenir Marat, de s'assurer sa bienveillance pour le jour où il serait dictateur, et tout présageait qu'il le deviendrait : sa popularité, son ambition, son empressement à recommander les grands moyens. Et peut-être, après tout, que Marat rétablirait l'ordre, les finances, la prospérité. Plusieurs fois il s'était élevé contre les énergumènes qui renchérissaient sur lui de patriotisme; depuis quelque temps, il dénonçait les démagogues presque autant que les modérés. Après avoir excité le peuple à pendre les accapareurs dans leur boutique pillée, il exhortait les citoyens au calme et à la prudence; il devenait un homme de gouvernement.

Malgré certains bruits qu'on semait sur lui comme sur tous les autres hommes de la Révolution, ces écumeurs d'or ne le croyaient pas corruptible, mais ils le savaient vaniteux et crédule : ils espéraient le gagner par des flatteries et surtout par une familiarité condescendante, qu'ils croyaient de leur part la plus séduisante des flatteries. Ils comptaient, grâce à lui, souffler le froid et le chaud sur toutes les valeurs qu'ils voudraient acheter et revendre, et le pousser à servir leurs intérêts en croyant n'agir que dans l'intérêt public.

Grande appareilleuse, bien qu'elle fût encore dans l'âge des amours, la citoyenne Rochemaure s'était donné la mission de réunir le législateur journaliste au banquier, et sa folle imagination lui représentait l'homme des caves, aux mains encore rougies du sang de Septembre, engagé dans le parti des financiers dont elle était l'agent, jeté par sa sensibilité même et sa candeur en plein agio, dans ce monde, qu'elle chérissait, d'accapareurs, de fournisseurs, d'émissaires de l'étranger, de croupiers et de femmes galantes.

Elle insista pour que le citoyen Gamelin la conduisît chez l'Ami du peuple, qui habitait non loin, dans la rue des Cordeliers, près de l'église. Après avoir fait un peu de résistance, le peintre céda au vœu de la citoyenne.

Le dragon Henry, invité à se joindre à eux, refusa, alléguant qu'il entendait garder sa liberté, même à l'égard du citoyen Marat, qui, sans doute, avait rendu des services à la République, mais maintenant faiblissait : n'avait-il pas, dans sa feuille, conseillé la résignation au peuple de Paris?

Et le jeune Henry, d'une voix mélodieuse, avec de longs soupirs, déplora la République trahie par ceux en qui elle avait mis son espoir : Danton repoussant l'idée d'un impôt sur les riches, Robespierre s'opposant à la permanence des sections, Marat dont les conseils pusillanimes brisaient l'élan des citoyens.

“ Oh! s'écria-t-il, que ces hommes paraissent faibles auprès de Leclerc et de Jacques Roux!... Roux! Leclerc! vous êtes les vrais amis du peuple! ”

Gamelin n'entendit point ces propos, qui l'eussent indigné : il était allé dans la pièce voisine passer son habit bleu.

“ Vous pouvez être fière de votre fils, dit la citoyenne Rochemaure à la citoyenne Gamelin. Il est grand par le talent et par le caractère. ”

La citoyenne veuve Gamelin donna, en réponse, un bon témoignage de son fils, sans toutefois s'enorgueillir de lui devant une dame de haut parage, car elle avait appris dans son enfance que le premier devoir des petits est l'humilité envers les grands. Elle était encline à se plaindre, n'en ayant que trop sujet et trouvant dans ses plaintes un soulagement à ses peines. Elle révélait abondamment ses maux à ceux qu'elle croyait capables de les soulager, et madame de Rochemaure lui semblait de ceux-là. Aussi, mettant à profit l'instant favorable, elle conta tout d'une haleine la détresse de la mère et du fils, qui tous deux mouraient de faim. On ne vendait plus de tableaux : la Révolution avait tué le commerce comme avec un couteau. Les vivres étaient rares et hors de prix....

Et la bonne dame expédiait ses lamentations avec toute la volubilité de ses lèvres molles et de sa langue épaisse, afin de les avoir dépêchées toutes quand reparaîtrait son fils, dont la fierté n'eût point approuvé de telles plaintes. Elle s'efforçait d'émouvoir dans le moins de temps possible une dame qu'elle jugeait riche et répandue, et de l'intéresser au sort de son enfant. Et elle sentait que la beauté d'Évariste conspirait avec elle pour attendrir une femme bien née.

En effet, la citoyenne Rochemaure montra de la sensibilité : elle s'émut à l'idée des souffrances d'Évariste et de sa mère et rechercha les moyens de les adoucir. Elle ferait acheter les ouvrages du peintre par des hommes riches de ses amis.

" Car, dit-elle en souriant, il y a encore de l'argent en France, mais il se cache. "

Mieux encore : puisque l'art était perdu, elle procurerait à Évariste un emploi chez Morhardt ou chez les frères Perregaux, ou une place de commis chez un fournisseur aux armées.

Puis elle songea que ce n'était pas cela qu'il fallait à un homme de ce caractère; et, après un moment de réflexion, elle fit signe qu'elle avait trouvé

" Il reste à nommer plusieurs jurés au Tribunal révolutionnaire. Juré, magistrat, voilà ce qui convient à votre fils. Je suis en relation avec les membres du Comité de Salut public; je connais Robespierre l'aîné; son frère soupe très souvent chez moi. Je leur parlerai. Je ferai parler à Montané, à Dumas, à Fouquier. "

La citoyenne Gamelin, émue et reconnaissante, mit un doigt sur sa bouche : Évariste rentrait dans l'atelier.

Il descendit avec la citoyenne Rochemaure l'escalier sombre, dont les degrés de bois et de carreaux étaient recouverts d'une crasse antique.

Sur le Pont-Neuf, où le soleil, déjà bas, allongeait l'ombre du piédestal qui avait porté le Cheval de Bronze et que pavoisaient maintenant les couleurs de la nation, une foule d'hommes et de femmes du peuple écoutaient, par petits groupes, des citoyens qui parlaient à voix basse. La foule, consternée, gardait un silence coupé par intervalles de gémissements et de cris de colère. Beaucoup s'en allaient d'un pas rapide vers la rue de Thionville, ci-devant rue Dauphine; Gamelin, s'étant glissé dans un de ces groupes, entendit que Marat venait d'être assassiné.

Peu à peu la nouvelle se confirmait et se précisait : il avait été assassiné dans sa baignoire, par une femme venue exprès de Caen pour commettre ce crime.

Certains croyaient qu'elle s'était enfuie; mais la plupart disaient qu'elle avait été arrêtée.

Ils étaient là, tous, comme un troupeau sans berger. Ils songeaient :

" Marat, sensible, humain, bienfaisant, Marat n'est plus là pour nous guider, lui qui ne s'est jamais trompé, qui devinait tout, qui osait tout révéler!... Que faire, que devenir? Nous avons perdu notre conseiller, notre défenseur, notre ami. " Ils savaient d'où venait le coup, et qui avait dirigé le bras de cette femme. Ils gémissaient :

" Marat a été frappé par les mains criminelles qui veulent nous exterminer. Sa mort est le signal de l'égorgement de tous les patriotes. "

On rapportait diversement les circonstances de cette mort tragique et les dernières paroles de la victime; on faisait des questions sur l'assassin, dont on savait seulement que c'était une jeune femme envoyée par les traîtres fédéralistes. Montrant les ongles et les dents, les citoyennes vouaient la criminelle au supplice et, trouvant la guillotine trop douce, réclamaient pour ce monstre le fouet, la roue, l'écartèlement, et imaginaient des tortures nouvelles.

Des gardes nationaux en armes traînaient à la section un homme à l'air résolu. Ses vêtements étaient en lambeaux; des filets de sang coulaient sur sa face pâle. On l'avait surpris disant que Marat avait mérité son sort en provoquant sans cesse au pillage et au meurtre. Et ç'avait été à grand-peine que les miliciens l'avaient soustrait à la fureur populaire. On le désignait du doigt comme un complice de l'assassin, et des menaces de mort s'élevaient sur son passage.

Gamelin restait stupide de douleur. De maigres larmes séchaient dans ses yeux ardents. A sa douleur filiale se mêlaient une sollicitude patriotique et une piété populaire qui le déchiraient.

Il songeait :

" Après Le Peltier, après Bourdon, Marat!... Je reconnais le sort des patriotes : massacrés au Champ de Mars, à Nancy, à Paris, ils périront tous. " Et il songeait au traître Wimpfen qui naguère encore, à la tête d'une horde de soixante mille royalistes, marchait sur Paris, et qui, s'il n'avait été arrêté à Vernon par les braves patriotes, eût mis à feu et à sang la ville héroïque et condamnée.

Et combien de périls encore, combien de projets criminels, combien de trahisons, que la sagesse et la vigilance de Marat pouvaient seules connaître et déjouer! Qui saurait après lui dénoncer Custine oisif dans le camp de César et refusant de débloquer Valenciennes, Biron inactif dans la Basse-Vendée, laissant prendre Saumur et assiéger

Nantes, Dillon trahissant la patrie dans l'Argonne?...

Cependant, autour de lui, de moment en moment, grandissait la clameur sinistre :

" Marat est mort; les aristocrates l'ont tué! "

Comme, le cœur gros de douleur, de haine et d'amour, il s'en allait rendre un hommage funèbre au martyr de la liberté, une vieille paysanne qui portait la coiffe limousine s'approcha de lui et lui demanda si ce monsieur Marat, qui avait été assassiné, n'était pas monsieur le curé Mara, de Saint-Pierre-de-Queyroix.

VIII

La veille de la fête, par un soir tranquille et clair, Élodie, au bras d'Évariste, se promenait sur le champ de la Fédération. Des ouvriers achevaient en hâte d'élever des colonnes, des statues, des temples, une montagne, un autel. Des symboles gigantesques, l'Hercule populaire brandissant sa massue, la Nature abreuvant l'univers à ses mamelles inépuisables, se dressaient soudain dans la capitale en proie à la famine, à la terreur, écoutant si l'on n'entendait pas sur la route de Meaux les canons autrichiens. La Vendée réparait son échec devant Nantes par des victoires audacieuses. Un cercle de fer, de flammes et de haine entourait la grande cité révolutionnaire. Et cependant elle recevait avec magnificence, comme la souveraine d'un vaste empire, les députés des assemblées primaires qui avaient accepté la constitution. Le fédéralisme était vaincu : la République une, indivisible, vaincrait tous ses ennemis.

Étendant le bras sur la plaine populeuse :

“ C'est là, dit Évariste, que, le 17 juillet 91, l'infâme Bailly fit fusiller le peuple au pied de l'autel de la patrie. Le grenadier Passavant, témoin du massacre, rentra dans sa maison, déchira son habit, s'écria : “ J'ai juré de mourir “ avec la liberté; elle n'est plus : je meurs. ” Et il se brûla la cervelle. ”

Cependant les artistes et les bourgeois paisibles examinaient les préparatifs de la fête, et on lisait sur leurs visages un amour de la vie aussi morne que leur vie elle-même : les plus grands événements, en entrant dans leur esprit, se rapetissaient à leur mesure et devenaient insipides comme eux. Chaque couple allait, portant dans ses bras où traînant par la main ou faisant courir devant lui des enfants qui n'étaient pas plus beaux que leurs parents et ne promettaient pas de devenir plus heureux, et qui donneraient la vie à d'autres enfants aussi médiocres qu'eux en joie et en beauté. Et parfois l'on voyait une jeune fille grande et belle qui sur son passage inspirait aux jeunes hommes un généreux désir, aux vieillards le regret de la douce vie.

Près de l'École militaire, Evariste montra à Élodie des statues égyptiennes dessinées par David d'après des modèles romains de l'époque d'Auguste. Ils entendirent alors un vieux Parisien poudré s'écrier :

« On se croirait sur les bords du Nil ! ».

Depuis trois jours qu'Élodie n'avait vu son ami, de graves événements s'étaient passés à l'*Amour peintre*. Le citoyen Blaise avait été dénoncé au Comité de sûreté générale pour fraudes dans les fournitures. Heureusement que le marchand d'estampes était connu dans sa section : le Comité de surveillance de la section des Piques s'était porté garant de son civisme auprès du Comité de sûreté générale et l'avait pleinement justifié.

Ayant conté cet événement avec émotion, Élodie ajouta :

« Nous sommes tranquilles maintenant, mais l'alerte a été chaude. Il s'en est fallu de peu que mon père n'ait été mis en prison. Si le danger avait duré quelques heures de plus, je serais allée vous demander, Évariste, de faire auprès de vos amis influents des démarches en sa faveur. »

Évariste ne répondit pas. Élodie fut bien loin de mesurer la profondeur de ce silence.

Ils allèrent, la main dans la main, le long des berges de la Seine. Ils se disaient leur mutuelle tendresse dans le langage de Julie et de Saint-Preux : le bon Jean-Jacques leur donnait les moyens de peindre et d'orner leur amour.

La municipalité avait accompli ce prodige de faire régner pour un jour l'abondance dans la ville affamée. Une foire s'était installée sur la place des Invalides, au bord de la rivière : des marchands vendaient, dans des baraques, des saucissons, des cervelas, des andouilles, des jambons couverts de lauriers, des gâteaux de Nanterre, des pains d'épices, des crêpes, des pains de quatre livres, de la limonade et du vin. Il y avait aussi des boutiques où l'on vendait des chansons patriotiques, des cocardes, des rubans tricolores, des bourses, des chaînes de laiton et toutes sortes de menus joyaux. S'arrêtant à l'étalage d'un humble bijoutier, Évariste choisit une bague en argent où l'on voyait en relief la tête de Marat entortillée d'un foulard. Et il la passa au doigt d'Élodie.

Gamelin se rendit, ce soir-là, rue de l'Arbre-Sec, chez la citoyenne Rochemaure, qui l'avait mandé pour affaire pressante. Il la trouva dans sa chambre à coucher, étendue sur une chaise longue, en déshabillé galant.

Tandis que l'attitude de la citoyenne exprimait une voluptueuse langueur, autour d'elle tout disait ses grâces, ses jeux, ses talents : une harpe près du clavecin entrouvert; une guitare dans un fauteuil; un métier à broder où était montée une étoffe de satin; sur la table, une miniature ébauchée, des papiers, des livres; une bibliothèque en désordre comme ravagée par une belle main aussi avide de connaître que de sentir. Elle lui donna sa main à baiser et lui dit :

« Salut, citoyen juré!... Aujourd'hui même, Robespierre l'aîné m'a remis une lettre en votre faveur pour le président Herman, une lettre très bien tournée, qui disait à

peu près : " Je vous indique le citoyen Gamelin, recom-
" mandable par ses talents et par son patriotisme. Je me
" suis fait un devoir de vous annoncer un patriote qui a
" des principes et une conduite ferme dans la ligne révo-
" lutionnaire. Vous ne négligerez pas l'occasion d'être
" utile à un républicain.... " J'ai porté sans débrider cette lettre au président Herman, qui m'a reçue avec une politesse exquise et a aussitôt signé votre nomination. C'est chose faite. "

Gamelin, après un moment de silence :

" Citoyenne, dit-il, bien que je n'aie pas un morceau de pain à donner à ma mère, je jure sur mon honneur que je n'accepte les fonctions de juré que pour servir la République et la venger de tous ses ennemis. "

La citoyenne jugea le remerciement froid et le compliment sévère. Elle soupçonna Gamelin de manquer de grâce. Mais elle aimait trop la jeunesse pour ne pas lui pardonner quelque âpreté. Gamelin était beau : elle lui trouvait du mérite. " On le façonnera ", songea-t-elle. Et elle l'invita à ses soupers : elle recevait, chaque soir, après le théâtre.

" Vous rencontrerez chez moi des gens d'esprit et de talent : Elleviou, Talma, le citoyen Vigée, qui tourne les bouts-rimés avec une habileté merveilleuse. Le citoyen François nous a lu sa *Paméla*, qu'on répète en ce moment au Théâtre de la Nation. Le style en est élégant et pur, comme tout ce qui sort de la plume du citoyen François. La pièce est touchante : elle nous a fait verser des larmes. C'est la jeune Lange qui tiendra le rôle de Paméla.

— Je m'en rapporte à votre jugement, citoyenne, répondit Gamelin. Mais le Théâtre de la Nation est peu national. Et il est fâcheux pour le citoyen François que ses ouvrages soient portés sur ces planches avilies par les vers misérables de Laya : on n'a pas oublié le scandale de *L'Ami des Lois*....

— Citoyen Gamelin, je vous abandonne Laya : il n'est pas de mes amis. »

Ce n'était point par bonté pure que la citoyenne avait employé son crédit à faire nommer Gamelin à un poste envié : après ce qu'elle avait fait et ce que d'aventure il adviendrait qu'elle fît pour lui, elle comptait se l'attacher étroitement et s'assurer un appui auprès d'une justice à laquelle elle pouvait avoir affaire, un jour ou l'autre, car enfin elle envoyait beaucoup de lettres en France et à l'étranger, et de telles correspondances étaient alors suspectes.

« Allez-vous souvent au théâtre, citoyen? »

A ce moment, le dragon Henry, plus charmant que l'enfant Bathylle, entra dans la chambre. Deux énormes pistolets étaient passés dans sa ceinture.

Il baisa la main de la belle citoyenne, qui lui dit :

« Voilà le citoyen Évariste Gamelin pour qui j'ai passé la journée au Comité de sûreté générale et qui ne m'en sait point de gré. Grondez-le.

— Ah! citoyenne, s'écria le militaire, vous venez de voir nos législateurs aux Tuileries. Quel spectacle affligeant! Les représentants d'un peuple libre devraient-ils siéger sous les lambris d'un despote? Les mêmes lustres allumés naguère sur les complots de Capet et les orgies d'Antoinette éclairent aujourd'hui les veilles de nos législateurs. Cela fait frémir la nature.

— Mon ami, félicitez le citoyen Gamelin, répondit-elle; il est nommé juré au Tribunal révolutionnaire.

— Mes compliments, citoyen! fit Henry. Je suis heureux de voir un homme de ton caractère investi de ces fonctions. Mais, à vrai dire, j'ai peu de confiance en cette justice méthodique, créée par les modérés de la Convention, en cette Némésis débonnaire qui ménage les conspirateurs, épargne les traîtres, ose à peine frapper les fédéralistes et craint d'appeler l'Autrichienne à sa barre. Non, ce n'est pas le Tribunal révolutionnaire qui sauvera la République. Ils sont bien coupables, ceux qui, dans la situation désespérée où nous sommes, ont arrêté l'élan de la justice populaire!

— Henry, dit la citoyenne Rochemaure, passez-moi ce flacon.... "

En rentrant chez lui, Gamelin trouva sa mère et le vieux Brotteaux qui faisaient une partie de piquet à la lueur d'une chandelle fumeuse. La citoyenne annonçait sans vergogne " tierce au roi ".

Apprenant que son fils était juré, elle l'embrassa avec transports, songeant que c'était pour l'un et l'autre beaucoup d'honneur et que désormais tous deux mangeraient tous les jours.

" Je suis heureuse et fière d'être la mère d'un juré, dit-elle. C'est une belle chose que la justice, et la plus nécessaire de toutes : sans justice, les faibles seraient vexés à chaque instant. Et je crois que tu jugeras bien, mon Évariste : car, dès l'enfance, je t'ai trouvé juste et bienveillant en toutes choses. Tu ne pouvais souffrir l'iniquité et tu t'opposais selon tes forces à la violence. Tu avais pitié des malheureux, et c'est là le plus beau fleuron d'un juge.... Mais, dis-moi, Évariste, comment êtes-vous habillés dans ce grand tribunal? "

Gamelin lui répondit que les juges se coiffaient d'un chapeau à plumes noires, mais que les jurés n'avaient point de costume uniforme, qu'ils portaient leur habit ordinaire.

" Il vaudrait mieux, répliqua la citoyenne, qu'ils portassent la robe et la perruque : ils en paraîtraient plus respectables. Bien que vêtu le plus souvent avec négligence, tu es beau et tu pares tes habits; mais la plupart des hommes ont besoin de quelque ornement pour paraître considérables : il vaudrait mieux que les jurés eussent la robe et la perruque. "

La citoyenne avait ouï dire que les fonctions de juré au Tribunal rapportaient quelque chose; elle ne se tint pas de demander si l'on y gagnait de quoi vivre honnêtement, car un juré, disait-elle, doit faire bonne figure dans le monde.

Elle apprit avec satisfaction que les jurés recevaient une indemnité de dix-huit livres par séance et que la multitude des crimes contre la sûreté de l'État les obligerait à siéger très souvent.

Le vieux Brotteaux ramassa les cartes, se leva et dit à Gamelin :

“ Citoyen, vous êtes investi d'une magistrature auguste et redoutable. Je vous félicite de prêter les lumières de votre conscience à un tribunal plus sûr et moins faillible peut-être que tout autre, parce qu'il recherche le bien et le mal, non point en eux-mêmes et dans leur essence, mais seulement par rapport à des intérêts tangibles et à des sentiments manifestes. Vous aurez à vous prononcer entre la haine et l'amour, ce qui se fait spontanément, non entre la vérité et l'erreur, dont le discernement est impossible au faible esprit des hommes. Jugeant d'après les mouvements de vos cœurs, vous ne risquerez pas de vous tromper, puisque le verdict sera bon pourvu qu'il contente les passions qui sont votre loi sacrée. Mais, c'est égal, si j'étais de votre président, je ferais comme Bridoie, je m'en rapporterais au sort des dés. En matière de justice, c'est encore le plus sûr. ”

IX

Évariste Gamelin devait entrer en fonctions le 14 septembre, lors de la réorganisation du Tribunal, divisé désormais en quatre sections, avec quinze jurés pour chacune. Les prisons regorgeaient; l'accusateur public travaillait dix-huit heures par jour. Aux défaites des armées, aux révoltes des provinces, aux conspirations, aux complots, aux trahisons, la Convention opposait la terreur. Les Dieux avaient soif.

La première démarche du nouveau juré fut de faire une visite de déférence au président Herman, qui le charma par la douceur de son langage et l'aménité de son commerce. Compatriote et ami de Robespierre, dont il partageait les sentiments, il laissait voir un cœur sensible et vertueux. Il était tout pénétré de ces sentiments humains, trop longtemps étrangers au cœur des juges et qui font la gloire éternelle d'un Dupaty et d'un Beccaria. Il se félicitait de l'adoucissement des mœurs qui s'était manifesté, dans l'ordre judiciaire, par la suppression de la torture et des supplices ignominieux ou cruels. Il se réjouissait de voir la peine de mort, autrefois prodiguée et servant naguère encore à la répression des moindres délits, devenue plus rare, et réservée aux grands crimes. Pour sa part, comme Robespierre, il l'eût volontiers abolie, en tout ce qui ne touchait pas à la sûreté publique. Mais il eût cru trahir l'État en ne punissant pas de mort les crimes commis contre la souveraineté nationale.

Tous ses collègues pensaient ainsi : la vieille idée monarchique de la raison d'État inspirait le Tribunal révolutionnaire. Huit siècles de pouvoir absolu avaient formé ses magistrats, et c'est sur les principes du droit divin qu'il jugeait les ennemis de la liberté.

Évariste Gamelin se présenta, le même jour, devant l'accusateur public, le citoyen Fouquier, qui le reçut dans le cabinet où il travaillait avec son greffier. C'était un homme robuste, à la voix rude, aux yeux de chat, qui portait sur sa large face grêlée, sur son teint de plomb, l'indice des ravages que cause une existence sédentaire et recluse aux hommes vigoureux, faits pour le grand air et les exercices violents. Les dossiers montaient autour de lui comme les murs d'un sépulcre, et, visiblement, il aimait cette paperasserie terrible qui semblait vouloir l'étouffer. Ses propos étaient d'un magistrat laborieux, appliqué à ses devoirs et dont l'esprit ne sortait pas du cercle de ses fonctions. Son haleine échauffée sentait l'eau-de-vie qu'il prenait pour se soutenir et qui ne semblait pas monter à son cerveau, tant il y avait de lucidité dans ses propos constamment médiocres.

Il vivait dans un petit appartement du Palais avec sa jeune femme, qui lui avait donné deux jumeaux. Cette jeune femme, la tante Henriette et la servante Pélagie composaient toute sa maison. Il se montrait doux et bon envers ces femmes. Enfin, c'était un homme excellent dans sa famille et dans sa profession, sans beaucoup d'idées et sans aucune imagination.

Gamelin ne put se défendre de remarquer avec quelque déplaisir combien ces magistrats de l'ordre nouveau ressemblaient d'esprit et de façons aux magistrats de l'ancien régime. Et c'en étaient : Herman avait exercé les fonctions d'avocat général au conseil d'Artois; Fouquier était un ancien procureur au Châtelet. Ils avaient gardé leur caractère. Mais Évariste Gamelin croyait à la palingénésie révolutionnaire.

En quittant le parquet, il traversa la galerie du Palais et s'arrêta devant les boutiques où toutes sortes d'objets étaient exposés avec art. Il feuilleta, à l'étalage de la citoyenne Ténot, des ouvrages historiques, politiques, et philosophiques : *Les Chaînes de l'Esclavage; Essai sur le Despotisme; Les Crimes des Reines.* « A la bonne heure ! songea-t-il, ce sont des écrits républicains ! » et il demanda à la librairie si elle vendait beaucoup de ces livres-là. Elle secoua la tête :

« On ne vend que des chansons et des romans. »

Et tirant un petit volume d'un tiroir :

« Voici, ajouta-t-elle, quelque chose de bon. »

Évariste lut le titre : *La Religieuse en chemise.*

Il trouva devant la boutique voisine Philippe Desmahis qui, superbe et tendre parmi les eaux de senteur, les poudres et les sachets de la citoyenne Saint-Jorre, assurait la belle marchande de son amour, lui promettait de lui faire son portrait et lui demandait un moment d'entretien dans le jardin des Tuileries, le soir. Il était beau. La persuasion coulait de ses lèvres et jaillissait de ses yeux. La citoyenne Saint-Jorre l'écoutait en silence et, prête à le croire, baissait les yeux.

Pour se familiariser avec les terribles fonctions dont il était investi, le nouveau juré voulut, mêlé au public, assister à un jugement du tribunal. Il gravit l'escalier où un peuple immense était assis comme dans un amphithéâtre et il pénétra dans l'ancienne salle du Parlement de Paris.

On s'étouffait pour voir juger quelque général. Car alors, comme disait le vieux Brotteaux, « la Convention, à l'exemple du gouvernement de Sa Majesté britannique, faisait passer en jugement les généraux vaincus, à défaut des généraux traîtres, qui, ceux-ci, ne se laissaient point juger. Ce n'est point, ajoutait Brotteaux, qu'un général vaincu soit nécessairement criminel, car de toute nécessité il en faut un dans chaque bataille. Mais il n'est rien comme de condamner à mort un général pour donner du cœur aux autres.... "

Il en avait déjà passé plusieurs sur le fauteuil de l'accusé, de ces militaires légers et têtus, cervelles d'oiseau dans des crânes de bœuf. Celui-là n'en savait guère plus sur les sièges et les batailles qu'il avait conduits, que les magistrats qui l'interrogeaient : l'accusation et la défense se perdaient dans les effectifs, les objectifs, les munitions, les marches et les contremarches. Et la foule des citoyens qui suivaient ces débats obscurs et interminables voyaient derrière le militaire imbécile la patrie ouverte et déchirée, souffrant mille morts; et, du regard et de la voix, ils pressaient les jurés, tranquilles à leur banc, d'assener leur verdict comme un coup de massue sur les ennemis de la République.

Évariste le sentait ardemment : ce qu'il fallait frapper en ce misérable, c'étaient les deux monstres affreux qui déchiraient la Patrie : la révolte et la défaite. Il s'agissait bien, vraiment, de savoir si ce militaire était innocent ou coupable! Quand la Vendée reprenait courage, quand Toulon se livrait à l'ennemi, quand l'armée du Rhin reculait devant les vainqueurs de Mayence, quand l'armée du Nord, retirée au camp de César, pouvait être enlevée en un coup de main par les Impériaux, les Anglais, les Hollandais, maîtres de Valenciennes, ce qu'il importait, c'était d'instruire les généraux à vaincre ou à mourir. En voyant ce soudard infirme et abêti, qui, à l'audience, se perdait dans ses cartes comme il s'était perdu là-bas dans les plaines du Nord, Gamelin, pour ne pas crier avec le public : " A mort! " sortit précipitamment de la salle.

A l'assemblée de la section, le nouveau juré reçut les félicitations du président Olivier, qui lui fit jurer sur le vieux maître-autel des Barnabites, transformé en autel de la patrie, d'étouffer dans son âme, au nom sacré de l'humanité, toute faiblesse humaine.

Gamelin, la main levée, prit à témoin de son serment les mânes augustes de Marat, martyr de la liberté, dont le buste venait d'être posé contre un pilier de la ci-devant église, en face du buste de Le Peltier.

Quelques applaudissements retentirent, mêlés à des murmures. L'assemblée était agitée. A l'entrée de la nef, un groupe de sectionnaires armés de piques vociférait.

« Il est antirépublicain, dit le président, de porter des armes dans une réunion d'hommes libres. »

Et il ordonna de déposer aussitôt les fusils et les piques dans la ci-devant sacristie.

Un bossu, l'œil vif et les lèvres retroussées, le citoyen Beauvisage, du comité de vigilance, vint occuper la chaire devenue la tribune et surmontée d'un bonnet rouge.

« Les généraux nous trahissent, dit-il, et livrent nos armées à l'ennemi. Les Impériaux poussent des partis de cavalerie autour de Péronne et de Saint-Quentin, Toulon a été livré aux Anglais, qui y débarquent quatorze mille hommes. Les ennemis de la République conspirent au sein même de la Convention. Dans la capitale, d'innombrables complots sont ourdis pour délivrer l'Autrichienne. Au moment que je parle, le bruit court que le fils Capet, évadé du Temple, est porté en triomphe à Saint-Cloud : on veut relever en sa faveur le trône du tyran. L'enchérissement des vivres, la dépréciation des assignats sont l'effet des manœuvres accomplies dans nos foyers, sous nos yeux, par les agents de l'étranger. Au nom du salut public, je somme le citoyen juré d'être impitoyable pour les conspirateurs et les traîtres. »

Tandis qu'il descendait de la tribune, des voix s'élevaient dans l'assemblée : " A bas le Tribunal révolutionnaire ! A bas les modérés ! "

Gras et le teint fleuri, le citoyen Dupont aîné, menuisier sur la place de Thionville, monta à la tribune, désireux, disait-il, d'adresser une question au citoyen juré. Et il demanda à Gamelin quelle serait son attitude dans l'affaire des Brissotins et de la veuve Capet.

Évariste était timide et ne savait point parler en public. Mais l'indignation l'inspira. Il se leva, pâle, et dit d'une voix sourde :

" Je suis magistrat. Je ne relève que de ma conscience. Toute promesse que je vous ferais serait contraire à mon devoir. Je dois parler au Tribunal et me taire partout ailleurs. Je ne vous connais plus. Je suis juge : je ne connais ni amis ni ennemis. "

L'assemblée, diverse, incertaine et flottante, comme toutes les assemblées, approuva. Mais le citoyen Dupont aîné revint à la charge ; il ne pardonnait pas à Gamelin d'occuper une place qu'il avait lui-même convoitée.

" Je comprends, dit-il, j'approuve même les scrupules du citoyen juré. On le dit patriote : c'est à lui de voir si sa conscience lui permet de siéger dans un tribunal destiné à détruire les ennemis de la République et résolu à les ménager. Il est des complicités auxquelles un bon citoyen doit se soustraire. N'est-il pas avéré que plusieurs jurés de ce tribunal se sont laissé corrompre par l'or des accusés, et que le président Montané a perpétré un faux pour sauver la tête de la fille Corday ? "

A ces mots, la salle retentit d'applaudissements vigoureux. Les derniers éclats en montaient encore aux voûtes, quand Fortuné Trubert monta à la tribune. Il avait beaucoup maigri, en ces derniers mois. Sur son visage pâle, des pommettes rouges perçaient la peau ; ses paupières étaient enflammées et ses prunelles vitreuses.

" Citoyens, dit-il d'une voix faible et un peu haletante,

étrangement pénétrante; on ne peut suspecter le Tribunal révolutionnaire sans suspecter en même temps la Convention et le Comité de Salut public dont il émane. Le citoyen Beauvisage nous a alarmés en nous montrant le président Montané altérant la procédure en faveur d'un coupable. Que n'a-t-il ajouté, pour notre repos, que, sur la dénonciation de l'accusateur public, Montané a été destitué et emprisonné?... Ne peut-on veiller au salut public sans jeter partout la suspicion? N'y a-t-il plus de talents ni de vertus à la Convention? Robespierre, Couthon, Saint-Just ne sont-ils pas des hommes honnêtes? Il est remarquable que les propos les plus violents sont tenus par des individus qu'on n'a jamais vus combattre pour la République! Ils ne parleraient pas autrement s'ils voulaient la rendre haïssable. Citoyens, moins de bruit et plus de besogne! C'est avec des canons, et non avec des criailleries, que l'on sauvera la France. La moitié des caves de la section n'ont pas encore été fouillées. Plusieurs citoyens détiennent encore des quantités considérables de bronze. Nous rappelons aux riches que les dons patriotiques sont pour eux la meilleure des assurances. Je recommande à votre libéralité les filles et les femmes de nos soldats qui se couvrent de gloire à la frontière et sur la Loire. L'un d'eux, le hussard Pommier (Augustin), précédemment apprenti sommelier, rue de Jérusalem, le 10 du mois dernier, devant Condé, menant des chevaux boire, fut assailli par six cavaliers autrichiens : il en tua deux et ramena les autres prisonniers. Je demande que la section déclare que Pommier (Augustin) a fait son devoir. "

Ce discours fut applaudi et les sectionnaires se séparèrent aux cris de : " Vive la République! "

Demeuré seul dans la nef avec Trubert, Gamelin lui serra la main :

" Merci. Comment vas-tu?

— Moi, très bien, très bien! " répondit Trubert, en

crachant, avec un hoquet, du sang dans son mouchoir. " La République a beaucoup d'ennemis au-dehors et au-dedans ; et notre section en compte, pour sa part, un assez grand nombre. Ce n'est pas avec des criailleries mais avec du fer et des lois qu'on fonde les empires.... Bonsoir, Gamelin : j'ai quelques lettres à écrire. "

Et il s'en alla, son mouchoir sur les lèvres, dans la ci-devant sacristie.

La citoyenne veuve Gamelin, sa cocarde désormais mieux ajustée à sa coiffe, avait pris, du jour au lendemain, une gravité bourgeoise, une fierté républicaine et le digne maintien qui sied à la mère d'un citoyen juré. Le respect de la justice, dans lequel elle avait été nourrie, l'admiration que, depuis l'enfance, lui inspiraient la robe et la simarre, la sainte terreur qu'elle avait toujours éprouvée à la vue de ces hommes à qui Dieu lui-même cède sur la terre son droit de vie et de mort, ces sentiments lui rendaient auguste, vénérable et saint ce fils que naguère elle croyait encore presque un enfant. Dans sa simplicité, elle concevait la continuité de la justice à travers la Révolution aussi fortement que les législateurs de la Convention concevaient la continuité de l'État dans la mutation des régimes, et le Tribunal révolutionnaire lui apparaissait égal en majesté à toutes les juridictions anciennes qu'elle avait appris à révérer.

Le citoyen Brotteaux montrait au jeune magistrat de l'intérêt mêlé de surprise et une déférence forcée. Comme la citoyenne veuve Gamelin, il considérait la continuité de la justice à travers les régimes; mais, au rebours de cette dame, il méprisait les tribunaux révolutionnaires à l'égal des cours de l'ancien régime. N'osant exprimer ouvertement sa pensée, et ne pouvant se résoudre à se taire, il se jetait dans des paradoxes que Gamelin comprenait tout juste assez pour en soupçonner l'incivisme.

« L'auguste tribunal où vous allez bientôt siéger, lui dit-il une fois, a été institué par le Sénat français pour le salut de la République; et ce fut certes une pensée vertueuse de nos législateurs que de donner des juges à leurs ennemis. J'en conçois la générosité, mais je ne la crois pas politique. Il eût été plus habile à eux, il me semble, de frapper dans l'ombre leurs plus irréconciliables adversaires et de gagner les autres par des dons ou des promesses. Un tribunal frappe avec lenteur et fait moins de mal que de peur : il est surtout exemplaire. L'inconvénient du vôtre est de réconcilier tous ceux qu'il effraie et de faire ainsi d'une cohue d'intérêts et de passions contraires un grand parti capable d'une action commune et puissante. Vous semez la peur : c'est la peur plus que le courage qui enfante les héros; puissiez-vous, citoyen Gamelin, ne pas voir un jour éclater contre vous des prodiges de peur! »

Le graveur Desmahis, amoureux, cette semaine-là, d'une fille du Palais-Égalité, la brune Flora, une géante, avait trouvé pourtant cinq minutes pour féliciter son camarade et lui dire qu'une telle nomination honorait grandement les beaux-arts.

Élodie elle-même, bien qu'à son insu elle détestât toute chose révolutionnaire, et qui craignait les fonctions publiques comme les plus dangereuses rivales qui pussent lui disputer le cœur de son amant, la tendre Élodie subissait l'ascendant d'un magistrat appelé à se prononcer dans des affaires capitales. D'ailleurs la nomination d'Évariste aux fonctions de juré produisait autour d'elle des effets heureux, dont sa sensibilité trouvait à se réjouir : le citoyen Jean Blaise vint dans l'atelier de la place de Thionville embrasser le juré avec un débordement de mâle tendresse.

Comme tous les contre-révolutionnaires, il éprouvait de la considération pour les puissances de la République, et, depuis qu'il avait été dénoncé pour fraude dans les fournitures de l'armée, le Tribunal révolutionnaire lui inspirait une crainte respectueuse. Il se voyait personnage de trop d'apparence et mêlé à trop d'affaires pour goûter une sécurité parfaite : le citoyen Gamelin lui paraissait un homme à ménager. Enfin on était bon citoyen, ami des lois.

Il tendit la main au peintre magistrat, se montra cordial et patriote, favorable aux arts et à la liberté. Gamelin, généreux, serra cette main largement tendue.

“ Citoyen Évariste Gamelin, dit Jean Blaise, je fais appel à votre amitié et à vos talents. Je vous emmène demain pour quarante-huit heures à la campagne : vous dessinerez et nous causerons. ”

Plusieurs fois, chaque année, le marchand d'estampes faisait une promenade de deux ou trois jours en compagnie de peintres qui dessinaient, sur ses indications, des paysages et des ruines. Saisissant avec habileté ce qui pouvait plaire au public, il rapportait de ces tournées des morceaux qui, terminés dans l'atelier et gravés avec esprit, faisaient des estampes à la sanguine ou en couleurs, dont il tirait bon profit. D'après ces croquis, il faisait exécuter aussi des dessus de portes et des trumeaux qui se vendaient autant et mieux que les ouvrages décoratifs d'Hubert Robert.

Cette fois, il voulait emmener le citoyen Gamelin pour esquisser des fabriques d'après nature, tant le juré avait pour lui grandi le peintre. Deux autres artistes étaient de la partie, le graveur Desmahis, qui dessinait bien, et l'obscur Philippe Dubois, qui travaillait excellemment dans le genre de Robert. Selon la coutume, la citoyenne Élodie, avec sa camarade la citoyenne Hasard, accompagnait les artistes. Jean Blaise, qui savait unir au souci de ses intérêts le soin de ses plaisirs, avait aussi invité à cette promenade la citoyenne Thévenin, actrice du Vaudeville, qui passait pour sa bonne amie.

X

Le samedi, à sept heures du matin, le citoyen Blaise, en bicorne noir, gilet écarlate, culotte de peau, bottes jaunes à revers, cogna du manche de sa cravache à la porte de l'atelier. La citoyenne veuve Gamelin s'y trouvait en honnête conversation avec le citoyen Brotteaux, tandis qu'Évariste nouait devant un petit morceau de glace sa haute cravate blanche.

“ Bon voyage, monsieur Blaise! dit la citoyenne. Mais, puisque vous allez peindre des paysages, emmenez donc monsieur Brotteaux, qui est peintre.

— Eh bien! dit Jean Blaise, citoyen Brotteaux, venez avec nous. ”

Quand il se fut assuré qu'il ne serait point importun, Brotteaux, d'humeur sociable et ami des divertissements, accepta.

La citoyenne Élodie avait monté les quatre étages pour embrasser la citoyenne veuve Gamelin, qu'elle appelait sa bonne mère. Elle était tout de blanc vêtue et sentait la lavande.

Une vieille berline de voyage, à deux chevaux, la capote abaissée, attendait sur la place. Rose Thévenin se tenait au fond avec Julienne Hasard. Élodie fit prendre la droite à la comédienne, s'assit à gauche, et mit la mince Julienne entre elles deux. Brotteaux se plaça en arrière, vis-à-vis de la citoyenne Thévenin; Philippe Dubois, vis-à-vis de la citoyenne Hasard; Évariste, vis-à-vis d'Élodie. Quant à Philippe Desmahis, il dressait son torse athlétique sur le siège, à la gauche du cocher, qu'il étonnait en lui contant qu'en un certain pays d'Amérique les arbres portaient des andouilles et des cervelas.

Le citoyen Blaise, excellent cavalier, faisait la route à cheval et prenait les devants pour n'avoir pas la poussière de la berline.

A mesure que les roues brûlaient le pavé du faubourg, les voyageurs oubliaient leurs soucis; et, à la vue des champs, des arbres, du ciel, leurs pensées devinrent riantes et douces. Élodie songea qu'elle était née pour élever des poules auprès d'Évariste, juge de paix dans un village, au bord d'une rivière, près d'un bois. Les ormeaux du chemin fuyaient sur leur passage. A l'entrée des villages, les mâtins s'élançaient de biais contre la voiture et aboyaient aux jambes des chevaux, tandis qu'un grand épagneul couché en travers de la chaussée se levait à regret; les poules voletaient éparses et, pour fuir, traversaient la route; les oies, en troupe serrée, s'éloignaient lentement. Les enfants barbouillés regardaient passer l'équipage. La matinée était chaude, le ciel clair. La terre gercée attendait la pluie. Ils mirent pied à terre près de Villejuif. Comme ils traversaient le bourg, Desmahis entra chez une fruitière pour acheter des cerises dont il voulait rafraîchir les citoyennes. La marchande était jolie : Desmahis ne reparaissait plus. Philippe Dubois l'appela par le surnom que ses amis lui donnaient communément :

" Hé! Barbaroux!... Barbaroux! "

A ce nom exécré, les passants dressèrent l'oreille et des visages parurent à toutes les fenêtres. Et, quand ils virent sortir de chez la fruitière un jeune et bel homme, la veste ouverte, le jabot flottant sur une poitrine athlétique, et portant sur ses épaules un panier de cerises et son habit au bout d'un bâton, le prenant pour le girondin proscrit, des sans-culottes l'appréhendèrent violemment et l'eussent conduit à la municipalité malgré ses protestations indignées, si le vieux Brotteaux, Gamelin et les trois jeunes femmes n'eussent attesté que le citoyen se nommait Philippe Desmahis, graveur en taille-douce et bon jacobin. Encore fallut-il que le suspect montrât sa carte de civisme qu'il portait sur lui, par grand hasard, étant fort négligent de ces choses. A ce prix, il échappa aux mains des villageois patriotes sans autre dommage qu'une de ses manchettes de dentelle, qu'on lui avait arrachée; mais la perte était légère. Il reçut même les excuses des gardes nationaux qui l'avaient serré le plus fort et qui parlaient de le porter en triomphe à la municipalité.

Libre, entouré des citoyennes Élodie, Rose et Julienne, Desmahis jeta à Philippe Dubois, qu'il n'aimait pas et qu'il soupçonnait de perfidie, un sourire amer, et, le dominant de toute la tête :

“ Dubois, si tu m'appelles encore Barbaroux, je t'appellerai Brissot; c'est un petit homme épais et ridicule, les cheveux gras, la peau huileuse, les mains gluantes. On ne doutera pas que tu ne sois l'infâme Brissot, l'ennemi du peuple; et les républicains, saisis à ta vue d'horreur et de dégoût, te pendront à la prochaine lanterne.... Tu entends? ”

Le citoyen Blaise, qui venait de faire boire son cheval, assura qu'il avait arrangé l'affaire, quoiqu'il apparût à tous qu'elle avait été arrangée sans lui.

On remonta en voiture. En route, Desmahis apprit au cocher que, dans cette plaine de Longjumeau, plusieurs habitants de la lune étaient tombés autrefois, qui, par la forme et la couleur, approchaient de la grenouille, mais étaient d'une taille bien plus élevée. Philippe Dubois et Gamelin parlaient de leur art. Dubois, élève de Regnault, était allé à Rome. Il avait vu les tapisseries de Raphaël, qu'il mettait au-dessus de tous les chefs-d'œuvre. Il admirait le coloris du Corrège, l'invention d'Annibal Carrache et le dessin du Dominiquin, mais ne trouvait rien de comparable, pour le style, aux tableaux de Pompeio Battoni. Il avait fréquenté, à Rome, M. Ménageot et madame Lebrun, qui tous deux s'étaient déclarés contre la Révolution : aussi n'en parlait-il pas. Mais il vantait Angelica Kauffmann, qui avait le goût pur et connaissait l'antique.

Gamelin déplorait qu'à l'apogée de la peinture française, si tardive, puisqu'elle ne datait que de Lesueur, de Claude et de Poussin et correspondait à la décadence des écoles italienne et flamande, eût succédé un si rapide et profond déclin. Il en rapportait les causes aux mœurs publiques et à l'Académie, qui en était l'expression. Mais l'Académie venait d'être heureusement supprimée et, sous l'influence des principes nouveaux, David et son école créaient un art digne d'un peuple libre. Parmi les jeunes peintres, Gamelin mettait sans envie au premier rang Hennequin et Topino-Lebrun. Philippe Dubois préférait Regnault, son maître, à David et fondait sur le jeune Gérard l'espoir de la peinture.

Élodie complimentait la citoyenne Thévenin sur sa toque de velours rouge et sa robe blanche. Et la comédienne félicitait ses deux compagnes de leurs toilettes et leur indiquait les moyens de faire mieux encore : c'était, à son avis, de retrancher sur les ornements.

“ On n'est jamais assez simplement mise, disait-elle. Nous apprenons cela au théâtre où le vêtement doit laisser voir toutes les attitudes. C'est là sa beauté, il n'en veut point d'autre.

— Vous dites bien, ma belle, répondait Élodie. Mais rien n'est plus coûteux en toilette que la simplicité. Et ce n'est pas toujours par mauvais goût que nous mettons des fanfreluches; c'est quelquefois par économie. ”

Elles parlèrent avec intérêt des modes de l'automne, robes unies, tailles courtes.

“ Tant de femmes s’enlaidissent en suivant la mode! dit la Thévenin. On devrait s’habiller selon sa forme.

— Il n’y a de beau que les étoffes roulées sur le corps et drapées, dit Gamelin. Tout ce qui a été taillé et cousu est affreux. ”

Ces pensées, mieux placées dans un livre de Winckelmann que dans la bouche d’un homme qui parle à des Parisiennes, furent rejetées avec le mépris de l’indifférence.

“ On fait pour l’hiver, dit Élodie, des douillettes à la laponne, en florence et en sicilienne, et des redingotes à la Zulime, à taille ronde, qui se ferment par un gilet à la turque.

— Ce sont des cache-misère, dit la Thévenin. Cela se vend tout fait. J’ai une petite couturière qui travaille comme un ange et qui n’est pas chère : je vous l’enverrai, ma chérie. ”

Et les paroles volaient, légères et pressées, déployant, soulevant les fins tissus, florence rayé, pékin uni, sicilienne, gaze, nankin.

Et le vieux Brotteaux, en les écoutant, songeait avec une volupté mélancolique à ces voiles d’une saison jetés sur des formes charmantes, qui durent peu d’années et renaissent éternellement comme les fleurs des champs. Et ses regards, qui allaient de ces trois jeunes femmes aux bleuets et aux coquelicots du sillon, se mouillaient de larmes souriantes.

Ils arrivèrent à Orangis vers les neuf heures et s’arrêtèrent à l’auberge de la Cloche, où les époux Poitrine logeaient à pied et à cheval. Le citoyen Blaise, qui avait rafraîchi sa toilette, tendit la main aux citoyennes. Après avoir commandé le dîner pour midi, précédés de leurs boîtes, de leurs cartons, de leurs chevalets et de leurs parasols, que portait un petit gars du village, ils s’en furent à pied, par les champs, vers le confluent de l’Orge et de l’Yvette, en

es lieux charmants d'où l'on découvre la plaine ver-
loyante de Longjumeau et que bordent la Seine et les bois
le Sainte-Geneviève.

Jean Blaise, qui conduisait la troupe artiste, échangeait
vec le ci-devant financier des propos facétieux où pas-
aient sans ordre ni mesure Verboquet le Généreux,
Catherine Cuissot qui colportait, les demoiselles Chau-
dron, le sorcier Galichet et les figures plus récentes de
Cadet-Rousselle et de madame Angot.

Évariste, pris d'un amour soudain de la nature, en
voyant des moissonneurs lier des gerbes, sentait ses yeux
e gonfler de larmes; des rêves de concorde et d'amour
mplissaient son cœur. Desmahis soufflait dans les cheveux
les citoyennes les graines légères des pissenlits. Ayant
outes trois un goût de citadines pour les bouquets, elles
ueillaient dans les prés le bouillon-blanc, dont les fleurs
e serrent en épis autour de la tige, la campanule, portant
uspendues en étages ses clochettes lilas tendre, les grêles
ameaux de la verveine odorante, l'hièble, la menthe, la
gaude, la mille-feuille, toute la flore champêtre de l'été
inissant. Et, parce que Jean-Jacques avait mis la bota-
nique à la mode parmi les filles des villes, elles savaient
outes trois des fleurs les noms et les amours. Comme les
corolles délicates, alanguies de sécheresse, s'effeuillaient
lans ses bras et tombaient en pluie à ses pieds, la citoyenne
Élodie soupira :

" Elles passent déjà, les fleurs! "

Tous se mirent à l'œuvre et s'efforcèrent d'exprimer la
nature telle qu'ils la voyaient; mais chacun la voyait dans
a manière d'un maître. En peu de temps Philippe Dubois
eut troussé dans le genre de Hubert-Robert une ferme
abandonnée, des arbres abattus, un torrent desséché.
Évariste Gamelin trouvait au bord de l'Yvette les paysages
du Poussin. Philippe Desmahis, devant un pigeonnier,
travaillait dans la manière picaresque de Callot et de

Duplessis. Le vieux Brotteaux, qui se piquait d'imiter le
flamands, dessinait soigneusement une vache. Élodi
esquissait une chaumière, et son amie Julienne, qui étai
fille d'un marchand de couleurs, lui faisait sa palette. De
enfants, collés contre elle, la regardaient peindre. Elle le
écartait de son jour en les appelant moucherons et en leu
donnant des berlingots. Et la citoyenne Thévenin, quan
elle en trouvait de jolis, les débarbouillait, les embrassai
et leur mettait des fleurs dans les cheveux. Elle les cares
sait avec une douceur mélancolique parce qu'elle n'avai
pas la joie d'être mère, et aussi pour s'embellir par l'expres
sion d'un tendre sentiment et pour exercer son art d
l'attitude et du groupement.

Seule, elle ne dessinait ni ne peignait. Elle s'occupai
d'apprendre un rôle et plus encore de plaire. Et, so
cahier à la main, elle allait de l'un à l'autre, chose léger
et charmante. " Pas de teint, pas de figure, pas de corps
pas de voix ", disaient les femmes, et elle emplissai
l'espace de mouvement, de couleur et d'harmonie. Fanée
jolie, lasse, infatigable, elle était les délices du voyage
D'humeur inégale et cependant toujours gaie, susceptible
irritable et pourtant accommodante et facile, la langu
salée avec le ton le plus poli, vaine, modeste, vraie, fausse
délicieuse, si Rose Thévenin ne faisait pas bien ses affaires
si elle ne devenait point déesse, c'est que les temps étaien
mauvais et qu'il n'y avait plus à Paris ni encens ni autel
pour les Grâces. La citoyenne Blaise, qui en parlant d'ell
faisait la grimace et l'appelait sa " belle-mère ", ne pou
vait la voir sans se rendre à tant de charmes.

On répétait à Feydeau *Les Visitandines*; et Rose s
félicitait d'y tenir un rôle plein de naturel. C'est l
naturel qu'elle cherchait, qu'elle poursuivait, qu'ell
trouvait.

" Nous ne verrons donc point Paméla? " dit le beau
Desmahis.

Le Théâtre de la Nation était fermé et les comédiens envoyés aux Madelonnettes et à Pélagie.

« Est-ce là la liberté? » s'écria la Thévenin levant au ciel ses beaux yeux indignés.

« Les acteurs du Théâtre de la Nation, dit Gamelin, sont des aristocrates, et la pièce du citoyen François tend à faire regretter les privilèges de la noblesse.

— Messieurs, dit la Thévenin, ne savez-vous entendre que ceux qui vous flattent?... »

Vers midi, chacun se sentant grand-faim, la petite troupe regagna l'auberge.

Évariste, auprès d'Élodie, lui rappelait en souriant les souvenirs de leurs premières rencontres :

« Deux oisillons étaient tombés du toit où ils nichaient sur le rebord de votre fenêtre. Vous les nourrissiez à la becquée; l'un d'eux vécut et prit sa volée. L'autre mourut dans le nid d'ouate que vous lui aviez fait. « C'était celui « que j'aimais le mieux », avez-vous dit. Ce jour-là, vous portiez, Élodie, un nœud rouge dans les cheveux. »

Philippe Dubois et Brotteaux, un peu en arrière des autres, parlaient de Rome où ils étaient allés tous deux, celui-ci en 72, l'autre vers les derniers jours de l'Académie. Et il souvenait encore au vieux Brotteaux de la princesse Mondragone, à qui il eût bien laissé entendre ses soupirs, sans le comte Altieri qui ne la quittait pas plus que son ombre. Philippe Dubois ne négligea pas de dire qu'il avait été prié à dîner chez le cardinal de Bernis et que c'était l'hôte le plus obligeant du monde.

« Je l'ai connu, dit Brotteaux, et je puis dire sans me flatter que j'ai été durant quelque temps de ses plus familiers : il aimait à fréquenter la canaille. C'était un aimable homme et, bien qu'il fît métier de débiter des fables, il y avait dans son petit doigt plus de saine philosophie que dans la tête de tous vos jacobins qui veulent nous envertueuser et nous endéificoquer. Certes j'aime mieux nos simples théophages, qui ne savent ni ce qu'ils disent ni c qu'ils font, que ces enragés barbouilleurs de lois, qu s'appliquent à nous guillotiner pour nous rendre vertueu et sages et nous faire adorer l'Être suprême, qui les a fait à son image. Au temps passé, je faisais dire la messe à l chapelle des Ilettes par un pauvre diable de curé qui disai après boire : " Ne médisons point des pécheurs : nous e " vivons, prêtres indignes que nous sommes ! " Convenez monsieur, que ce croqueur d'orémus avait de saine maximes sur le gouvernement. Il en faudrait revenir là e gouverner les hommes tels qu'ils sont et non tels qu'o les voudrait être. "

La Thévenin s'était rapprochée du vieux Brotteaux Elle savait que cet homme avait mené grand train autre fois, et son imagination parait de ce brillant souvenir l pauvreté présente du ci-devant financier, qu'elle jugeai moins humiliante, étant générale et causée par la ruin publique. Elle contemplait en lui, curieusement et no sans respect, les débris d'un de ces généreux Crésus qu célébraient en soupirant les comédiennes ses aînées. E puis les manières de ce bonhomme en redingote puce s râpée et si propre lui plaisaient.

" Monsieur Brotteaux, lui dit-elle, on sait que jadis, dans un beau parc, par des nuits illuminées, vous vous glissiez dans des bosquets de myrtes avec des comédiennes et des danseuses, au son lointain des flûtes et des violons.... Hélas ! elles étaient plus belles, n'est-ce pas, vos déesses de l'Opéra et de la Comédie-Française, que nous autres, pauvres petites actrices nationales ?

— Ne le croyez pas, mademoiselle, répondit Brotteaux, et sachez que s'il s'en fût rencontré en ce temps une semblable à vous, elle se serait promenée, seule, en souveraine et sans rivale, pour peu qu'elle l'eût souhaité, dans le parc dont vous voulez bien vous faire une idée si flatteuse.... "

L'hôtel de la Cloche était rustique. Une branche de houx pendait sur la porte charretière, qui donnait accès à une cour toujours humide où picoraient les poules. Au fond de la cour s'élevait l'habitation, composée d'un rez-de-chaussée et d'un étage, coiffée d'une haute toiture de tuiles moussues et dont les murs disparaissaient sous de vieux rosiers tout fleuris de roses. A droite, des quenouilles montraient leurs pointes au-dessus du mur bas du jardin. A gauche était l'écurie, avec un râtelier extérieur et une grange en colombage. Une échelle s'appuyait au mur. De ce côté encore, sous un hangar encombré d'instruments agricoles et de souches, du haut d'un vieux cabriolet, un coq blanc surveillait ses poules. La cour était fermée, de ce sens, par des étables devant lesquelles s'élevait, comme un tertre glorieux, un tas de fumier que, à cette heure, retournait de sa fourche une fille plus large que haute, les cheveux couleur de paille. Le purin qui remplissait ses sabots lavait ses pieds nus, dont on voyait se soulever par intervalles les talons jaunes comme du safran. Sa jupe troussée laissait à découvert la crasse de ses mollets énormes et bas. Tandis que Philippe Desmahis la regardait, surpris et amusé du jeu bizarre de la nature qui avait construit cette fille en largeur, l'hôtelier appela :

“ Hé! la Tronche! va querir de l'eau! ”

Elle se retourna et montra une face écarlate et une large bouche où manquait une palette. Il avait fallu la corne d'un taureau pour ébrécher cette puissante denture. Sa fourche à l'épaule, elle riait. Semblables à des cuisses, ses bras rebrassés étincelaient au soleil.

La table était mise dans la salle basse, où les poulets achevaient de rôtir sous le manteau de la cheminée, garni de vieux fusils. Longue de plus de vingt pieds, la salle, blanchie à la chaux, n'était éclairée que par les vitres verdâtres de la porte et par une seule fenêtre, encadrée de roses, auprès de laquelle l'aïeule tournait son rouet. Elle portait une coiffe et un bavolet de dentelle du temps de la Régence. Les doigts noueux de ses mains tachées de terre tenaient la quenouille. Des mouches se posaient sur le bord de ses paupières, et elle ne les chassait pas. Dans les bras de sa mère, elle avait vu passer Louis XIV en carrosse.

Il y avait soixante ans qu'elle avait fait le voyage de Paris. Elle conta d'une voix faible et chantante aux trois jeunes femmes debout devant elle qu'elle avait vu l'Hôtel de Ville, les Tuileries et la Samaritaine, et que, lorsqu'elle traversait le Pont-Royal, un bateau qui portait des pommes au marché du Mail s'était ouvert, que les pommes s'en étaient allées au fil de l'eau et que la rivière en était tout empourprée.

Elle avait été instruite des changements survenus nouvellement dans le royaume, et surtout de la zizanie qu'il y avait entre les curés jureurs et ceux qui ne juraient point. Elle savait aussi qu'il y avait eu des guerres, des famines et des signes dans le ciel. Elle ne croyait point que le roi fût mort. On l'avait fait fuir, disait-elle, par un souterrain et l'on avait livré au bourreau, à sa place, un homme du commun.

Aux pieds de l'aïeule, dans son moïse, le dernier-né des Poitrine, Jeannot, faisait ses dents. La Thévenin souleva le berceau d'osier et sourit à l'enfant, qui gémit faiblement, épuisé de fièvre et de convulsions. Il fallait qu'il fût bien malade, car on avait appelé le médecin, le citoyen Pelleport, qui, à la vérité, député suppléant à la Convention, ne faisait point payer ses visites.

La citoyenne Thévenin, enfant de la balle, était partout chez elle; mal contente de la façon dont la Tronche avait lavé la vaisselle, elle essuyait les plats, les gobelets et les fourchettes. Pendant que la citoyenne Poitrine faisait cuire la soupe, qu'elle goûtait en bonne hôtelière, Élodie couait en tranches un pain de quatre livres encore chaud du our. Gamelin, en la voyant faire, lui dit :

“ J'ai lu, il y a quelques jours, un livre écrit par un eune Allemand dont j'ai oublié le nom, et qui a été très ien mis en français. On y voit une belle jeune fille nommée Charlotte qui, comme vous, Élodie, taillait des tartines t, comme vous, les taillait avec grâce, et si joliment u'à la voir faire le jeune Werther devint amoureux l'elle.

— Et cela finit par un mariage? demanda Élodie.

— Non, répondit Évariste; cela finit par la mort iolente de Werther. ”

Ils dînèrent bien, car ils avaient grand-faim; mais la hère était médiocre. Jean Blaise s'en plaignit : il était très orté sur sa bouche et faisait de bien manger une règle de ie; et, sans doute, ce qui l'incitait à ériger sa gourmandise n système, c'était la disette générale. La Révolution avait lans toutes les maisons renversé la marmite. Le commun les citoyens n'avait rien à se mettre sous la dent. Les gens abiles qui, comme Jean Blaise, gagnaient gros dans la nisère publique, allaient chez le traiteur où ils montraient eur esprit en s'empiffrant. Quant à Brotteaux qui, en 'an II de la Liberté, vivait de châtaignes et de croûtons de ain, il lui souvenait d'avoir soupé chez Grimod de la Reynière, à l'entrée des Champs-Élysées. Envieux de nériter le titre de fine gueule, devant les choux au lard de a femme Poitrine, il abondait en savantes recettes le cuisine et en bons préceptes gastronomiques. Et, omme Gamelin déclarait qu'un républicain méprise es plaisirs de la table, le vieux traitant, amateur d'antiquités, donnait au jeune Spartiate la vraie formule du rouet noir.

Après le dîner, Jean Blaise, qui n'oubliait pas les affaires érieuses, fit faire à son académie foraine des croquis et les esquisses de l'auberge, qu'il jugeait assez romantique

dans son délabrement. Tandis que Philippe Desmahis e
Philippe Dubois dessinaient les étables, la Tronche vin
donner à manger aux cochons. Le citoyen Pelleport
officier de santé, qui sortait en même temps de la sall
basse où il était venu porter ses soins au petit Poitrine
s'approcha des artistes et, après les avoir complimentés d
leurs talents, qui honoraient la nation tout entière, il leu
montra la Tronche au milieu des pourceaux.

“ Vous voyez cette créature, dit-il, ce n'est pas une fille
comme vous pourriez le croire : c'est deux filles. Com
prenez que je parle littéralement. Surpris du volum
énorme de sa charpente osseuse, je l'ai examinée et m
suis aperçu qu'elle avait la plupart des os en double : à
chaque cuisse, deux fémurs soudés ensemble; à chaqu
épaule, deux humérus. Elle possède aussi des muscles en
double. Ce sont, à mon sens, deux jumelles étroitemen
associées ou, pour mieux dire, fondues ensemble. Le ca
est intéressant. Je l'ai signalé à monsieur Saint-Hilaire
qui m'en a su gré. C'est un monstre que vous voyez là
citoyens. Ces gens-ci l'appellent “ la Tronche ”. Il
devraient dire “ les Tronches ” : elles sont deux. L
nature a de ces bizarreries.... Bonsoir, citoyens peintres
Nous aurons de l'orage, cette nuit.... ”

Après le souper aux chandelles, l'académie Blaise fi
dans la cour de l'auberge, en compagnie d'un fils et d'un
fille Poitrine, une partie de colin-maillard, à laquelle jeune
femmes et jeunes hommes mirent une vivacité que leu
âge explique assez pour qu'on ne cherche pas si la violenc
et l'incertitude du temps n'excitait pas leur ardeur. Quan
il fit tout à fait nuit, Jean Blaise proposa de jouer dans l
salle basse aux jeux innocents. Élodie demanda la “ chass
au cœur ” qui fut acceptée de toute la compagnie. Sur le
indications de la jeune fille, Philippe Desmahis traça à l
craie sur les meubles, les portes et les murs sept cœurs
c'est-à-dire un de moins qu'il n'y avait de joueurs, car l

vieux Brotteaux s'était mis obligeamment de la partie. On dansa en rond " La Tour, prends garde ", et, sur un signal d'Élodie, chacun courut mettre la main sur un cœur. Gamelin, distrait et maladroit, les trouva tous pris : il donna un gage, le petit couteau acheté six sous à la foire Saint-Germain et qui avait coupé le pain pour la mère indigente. On recommença et ce furent tour à tour Blaise, Élodie, Brotteaux et la Thévenin qui ne trouvèrent pas de cœur et donnèrent chacun leur gage, une bague, un réticule, un petit livre relié en maroquin, un bracelet. Puis, les gages furent tirés au sort sur les genoux d'Élodie et chacun, pour racheter le sien, dut montrer ses talents de société, chanter une chanson ou dire des vers. Brotteaux récita le discours du patron de la France, au premier chant de *La Pucelle* :

> Je suis Denis et saint de mon métier,
> J'aime la Gaule....

Le citoyen Blaise, bien que moins lettré, donna sans hésiter la réponse de Richemond :

> Monsieur le Saint, ce n'était pas la peine
> D'abandonner le céleste domaine....

Tout le monde alors lisait et relisait avec délices le chef-d'œuvre de l'Arioste français; les hommes les plus graves souriaient des amours de Jeanne et de Dunois, des aventures d'Agnès et de Monrose et des exploits de l'âne ailé. Tous les hommes cultivés savaient par cœur les beaux endroits de ce poème divertissant et philosophique. Évariste Gamelin, lui-même, bien que d'humeur sévère, en prenant sur le giron d'Élodie son couteau de six liards, récita de bonne grâce l'entrée de Grisbourdon aux enfers. La citoyenne Thévenin chanta sans accompagnement la romance de Nina : *Quand le bien-aimé reviendra.* Desmahis chanta, sur l'air de *La Faridondaine* :

Quelques-uns prirent le cochon
De ce bon saint Antoine,
Et, lui mettant un capuchon,
Ils en firent un moine.
Il n'en coûtait que la façon....

Cependant Desmahis était soucieux. A cette heure, il aimait ardemment les trois femmes avec lesquelles il jouait au " gage touché ", et il jetait à toutes trois des regards brûlants et doux. Il aimait la Thévenin pour sa grâce, sa souplesse, son art savant, ses œillades et sa voix qui allait au cœur; il aimait Élodie, qu'il sentait de nature abondante, riche et donnante; il aimait Julienne Hasard, malgré ses cheveux décolorés, ses cils blancs, ses taches de rousseur et son maigre corsage, parce que, comme ce Dunois dont parle Voltaire dans *La Pucelle*, il était toujours prêt, dans sa générosité, à donner à la moins jolie une marque d'amour, et d'autant plus qu'elle lui semblait, pour l'instant, la plus inoccupée et, partant, la plus accessible. Exempt de toute vanité, il n'était jamais sûr d'être agréé; il n'était jamais sûr non plus de ne l'être pas. Aussi s'offrait-il, à tout hasard. Profitant des rencontres heureuses du " gage touché ", il tint quelques tendres propos à la Thévenin, qui ne s'en fâcha pas, mais n'y pouvait guère répondre sous le regard jaloux du citoyen Jean Blaise. Il parla plus amoureusement encore à la citoyenne Élodie, qu'il savait engagée avec Gamelin, mais il n'était pas assez exigeant pour vouloir un cœur à lui seul. Élodie ne pouvait l'aimer; mais elle le trouvait beau et elle ne réussit pas entièrement à le lui cacher. Enfin, il porta ses vœux les plus pressants à l'oreille de la citoyenne Hasard : elle y répondit par un air de stupeur qui pouvait exprimer une soumission abîmée aussi bien qu'une morne indifférence. Et Desmahis ne crut point qu'elle était indifférente.

Il n'y avait dans l'auberge que deux chambres à coucher, toutes deux au premier étage et sur le même palier. Celle de gauche, la plus belle, était tendue de papier à fleurs et ornée d'une glace grande comme la main, dont le cadre doré subissait l'offense des mouches depuis l'enfance de Louis XV. Là, sous un ciel d'indienne à ramages, se dressaient deux lits garnis d'oreillers de plume, d'édredons et de courtepointes. Cette chambre était réservée aux trois citoyennes.

Quand vint l'heure de la retraite, Desmahis et la citoyenne Hasard, tenant à la main chacun son chandelier, se souhaitèrent le bonsoir sur le palier. Le graveur amoureux coula à la fille du marchand de couleurs un billet par lequel il la priait de le rejoindre, quand tout serait endormi, dans le grenier, qui se trouvait au-dessus de la chambre des citoyennes.

Prévoyant et sage, il avait dans la journée étudié les êtres et exploré ce grenier, plein de bottes d'oignons, de fruits qui séchaient sous un essaim de guêpes, de coffres, de vieilles malles. Il y avait même vu un vieux lit de sangle boiteux et hors d'usage, à ce qu'il lui sembla, et une paillasse éventrée, où sautaient des puces.

En face de la chambre des citoyennes était une chambre à trois lits, assez petite, où devaient coucher, à leurs guises, les citoyens voyageurs. Mais Brotteaux, qui était sybarite, s'en était allé à la grange dormir dans le foin. Quant à Jean Blaise, il avait disparu, Dubois et Gamelin ne tardèrent pas à s'endormir. Desmahis se mit au lit; mais, quand le silence de la nuit eut, comme une eau dormante, recouvert la maison, le graveur se leva et monta l'escalier de bois, qui se mit à craquer sous ses pieds nus. La porte du grenier était entrebâillée. Il en sortait une chaleur étouffante et des senteurs âcres de fruits pourris. Sur un lit de sangle boiteux, la Tronche dormait, la bouche ouverte, la chemise relevée, les jambes écartées. Elle était énorme. Traversant la lucarne, un rayon de lune baignait d'azur et d'argent sa peau qui, entre des écailles de crasse et des éclaboussures de purin, brillait de jeunesse et de fraîcheur. Desmahis se jeta sur elle; réveillée en sursaut, elle eut peur et cria; mais, dès qu'elle comprit ce qu'on lui voulait, rassurée, elle ne témoigna ni surprise ni contrariété et feignit d'être encore plongée dans un demi-sommeil qui, en lui ôtant la conscience des choses, lui permettait quelque sentiment....

Desmahis rentra dans sa chambre, où il dormit jusqu'au jour d'un sommeil tranquille et profond.

Le lendemain, après une dernière journée de travail, l'académie promeneuse reprit le chemin de Paris. Quand Jean Blaise paya son hôte en assignats, le citoyen Poitrine se lamenta de ne plus voir que de " l'argent carré " et promit une belle chandelle au bougre qui ramènerait les jaunets.

Il offrit des fleurs aux citoyennes. Par son ordre, la Tronche, sur une échelle, en sabots et troussée, montrant au jour ses mollets crasseux et resplendissants, coupait infatigablement des roses aux rosiers grimpants qui couvraient la muraille. De ses larges mains les roses tombaient en pluie, en torrents, en avalanche, dans les jupes tendues d'Élodie, de Julienne et de la Thévenin. La berline en fut pleine. Tous, rentrant à la nuit, en apportèrent chez eux des brassées, et leur sommeil et leur réveil en fut tout parfumé.

XI

Le matin du 7 septembre, la citoyenne Rochemaure, se rendant chez le juré Gamelin, qu'elle voulait intéresser à quelque suspect de sa connaissance, rencontra sur le palier le ci-devant Brotteaux des Ilettes, qu'elle avait aimé dans les jours heureux. Brotteaux s'en allait porter douze douzaines de pantins de sa façon chez le marchand de jouets de la rue de la Loi. Et il s'était résolu, pour les porter plus aisément, à les attacher au bout d'une perche, selon les guises des vendeurs ambulants. Il en usait galamment avec toutes les femmes, même avec celles dont une longue habitude avait émoussé pour lui l'attrait, comme ce devait être le cas de madame de Rochemaure, à moins qu'assaisonnée par la trahison, l'absence, l'infidélité et l'embonpoint, il ne la trouvât appétissante. En tout cas, il l'accueillit sur le palier sordide, aux carreaux disjoints, comme autrefois sur les degrés du perron des Ilettes et la pria de lui faire l'honneur de visiter son grenier. Elle monta assez lestement l'échelle et se trouva sous une charpente dont les poutres penchantes portaient un toit de tuiles percé d'une lucarne. On ne pouvait s'y tenir debout. Elle s'assit sur la seule chaise qu'il y eût en ce réduit et, ayant promené un moment ses regards sur les tuiles disjointes, elle demanda, surprise et attristée :

« C'est là que vous habitez, Maurice? Vous n'avez

guère à y craindre les importuns. Il faut être diable ou chat pour vous y trouver.

— J'y ai peu d'espace, répondit le ci-devant. Et je ne vous cache pas que parfois il y pleut sur mon grabat. C'est un faible inconvénient. Et durant les nuits sereines j'y vois la lune, image et témoin des amours des hommes. Car la lune, madame, fut de tout temps attestée par les amoureux, et dans son plein, pâle et ronde, elle rappelle à l'amant l'objet de ses désirs.

— J'entends, dit la citoyenne.

— En leur saison, poursuivit Brotteaux, les chats font un beau vacarme dans cette gouttière. Mais il faut pardonner à l'amour de miauler et de jurer sur les toits, quand il emplit de tourments et de crimes la vie des hommes. »

Tous deux, ils avaient eu la sagesse de s'aborder comme des amis qui s'étaient quittés la veille pour s'en aller dormir; et, bien que devenus étrangers l'un à l'autre, ils s'entretenaient avec bonne grâce et familiarité.

Cependant, madame de Rochemaure paraissait soucieuse. La Révolution, qui avait été longtemps pour elle riante et fructueuse, lui apportait maintenant des soucis et des inquiétudes; ses soupers devenaient moins brillants et moins joyeux. Les sons de sa harpe n'éclaircissaient plus les visages sombres. Ses tables de jeu étaient abandonnées des plus riches pontes. Plusieurs de ses familiers, maintenant suspects, se cachaient; son ami, le financier Morhardt, était arrêté, et c'était pour lui qu'elle venait solliciter le juré Gamelin. Elle-même était suspecte. Des gardes nationaux avaient fait une perquisition chez elle, retourné les tiroirs de ses commodes, soulevé des lames de son parquet, donné des coups de baïonnette dans ses matelas. Ils n'avaient rien trouvé, lui avaient fait des excuses et bu son vin. Mais ils étaient passés fort près de sa correspondance avec un émigré, M. d'Expilly. Quelques amis qu'elle avait parmi les jacobins l'avaient avertie que le bel Henry son greluchon, devenait compromettant par ses violences trop outrées pour paraître sincères.

Les coudes sur les genoux et les poings dans les joues, songeuse, elle demanda à son vieil ami, assis sur la paillasse :

“ Que pensez-vous de tout ceci, Maurice?

— Je pense que ces gens-ci donnent à un philosophe et à un amateur de spectacles ample matière à réflexion et à divertissement; mais qu'il serait meilleur pour vous, chère amie, que vous fussiez hors de France.

— Maurice, où cela nous mènera-t-il?

— C'est ce que vous me demandiez, Louise, un jour, en voiture, au bord du Cher, sur le chemin des Ilettes, tandis que notre cheval, qui avait pris le mors aux dents, nous emportait d'un galop furieux. Que les femmes sont donc curieuses! Encore aujourd'hui vous voulez savoir où nous allons. Demandez-le aux tireuses de cartes. Je ne suis point devin, ma mie. Et la philosophie, même la plus saine, est d'un faible secours pour la connaissance de l'avenir. Ces choses finiront, car tout finit. On peut en prévoir diverses issues. La victoire de la coalition et l'entrée des alliés à Paris. Ils n'en sont pas loin; toutefois je doute qu'ils y arrivent. Ces soldats de la République se font battre avec une ardeur que rien ne peut éteindre. Il se peut que Robespierre épouse Madame Royale et se fasse nommer protecteur du royaume pendant la minorité de Louis XVII.

— Vous croyez? s'écria la citoyenne, impatiente de se mêler à cette belle intrigue.

— Il se peut encore, poursuivit Brotteaux, que la Vendée l'emporte et que le gouvernement des prêtres se rétablisse sur des monceaux de ruines et des amas de cadavres. Vous ne pouvez concevoir, chère amie, l'empire que garde le clergé sur la multitude des ânes.... Je voulais dire “ des âmes ”; la langue m'a fourché. Le plus probable, à mon sens, c'est que le Tribunal révolutionnaire amènera la destruction du régime qui l'a institué : il menace trop de têtes. Ceux qu'il effraie sont innombrables; ils se réuniront, et, pour le détruire, ils détruiront le régime. Je crois que vous avez fait nommer le jeune Gamelin à cette justice. Il est vertueux : il sera terrible. Plus j'y songe, ma belle amie, plus je crois que ce tribunal, établi pour sauver la République, la perdra. La Convention a voulu avoir, comme la royauté, ses Grands Jours, sa Chambre ardente, et pourvoir à sa sûreté par des magistrats nommés par elle et tenus dans sa dépendance. Mais que les Grands Jours de la Convention sont inférieurs aux Grands Jours de la monarchie, et sa Chambre ardente moins politique que celle de Louis XIV! Il règne dans le Tribunal révolutionnaire un sentiment de basse justice et de plate égalité qui le rendra bientôt odieux et ridicule et dégoûtera tout le monde. Savez-vous, Louise, que ce tribunal, qui va appeler à sa barre la reine de France et vingt et un législateurs, condamnait hier une servante coupable d'avoir crié : "Vive le roi!" avec une mauvaise intention et dans la pensée de détruire la République? Nos juges, tout de noir emplumés, travaillent dans le genre de ce Guillaume Shakespeare, si cher aux Anglais, qui introduit dans les scènes les plus tragiques de son théâtre de grossières bouffonneries.

— Eh bien, Maurice, demanda la citoyenne, êtes-vous toujours heureux en amour?

— Hélas! répondit Brotteaux, les colombes volent au blanc colombier et ne se posent plus sur la tour en ruines.

— Vous n'avez pas changé.... Au revoir, mon ami!"

Ce soir-là, le dragon Henry, s'étant rendu, sans y être prié, chez madame de Rochemaure, la trouva qui cachetait une lettre sur laquelle il lut l'adresse du citoyen Rauline, à Vernon. C'était, il le savait, une lettre pour l'Angleterre.

Rauline recevait par un postillon des messageries le courrier de madame de Rochemaure et le faisait porter à Dieppe par une marchande de marée. Un patron de barque le remettait, la nuit, à un navire britannique qui croisait sur la côte; un émigré, M. d'Expilly, le recevait à Londres et le communiquait, s'il le jugeait utile, au cabinet de Saint-James.

Henry était jeune et beau : Achille n'unissait pas tant de grâce à tant de vigueur, quand il revêtit les armes que lui présentait Ulysse. Mais la citoyenne Rochemaure, sensible naguère aux charmes du jeune héros de la Commune, détournait de lui ses regards et sa pensée depuis qu'elle avait été avertie que, dénoncé aux jacobins comme un exagéré, ce jeune soldat pouvait la compromettre et la perdre. Henry sentait qu'il ne serait peut-être pas au-dessus de ses forces de ne plus aimer madame de Rochemaure; mais il lui déplaisait qu'elle ne le distinguât plus. Il comptait sur elle pour satisfaire à certaines dépenses auxquelles le service de la République l'avait engagé. Enfin, songeant aux extrémités où peuvent se porter les femmes et comment elles passent avec rapidité de la tendresse la plus ardente à la plus froide insensibilité et combien il leur est facile de sacrifier ce qu'elles ont chéri et de perdre ce qu'elles ont adoré, il soupçonna que cette ravissante Louise pourrait un jour le faire jeter en prison pour se débarrasser de lui. Sa sagesse lui conseillait de reconquérir cette beauté perdue. C'est pourquoi il était venu armé de tous ses charmes. Il s'approchait d'elle, s'éloignait, se rapprochait, la frôlait, la fuyait selon les règles de la séduction dans les ballets. Puis, il se jeta dans un fauteuil, et, de sa voix invincible, de sa voix qui parlait aux entrailles des femmes, il lui vanta la nature et la solitude et lui proposa en soupirant une promenade à Ermenonville.

Cependant, elle tirait quelques accords de sa harpe et jetait autour d'elle des regards d'impatience et d'ennui.

Soudain Henry se dressa sombre et résolu et lui annonça qu'il partait pour l'armée et serait dans quelques jours devant Maubeuge.

Sans montrer ni doute ni surprise, elle l'approuva d'un signe de tête.

" Vous me félicitez de cette décision?

— Je vous en félicite. "

Elle attendait un nouvel ami qui lui plaisait infiniment et dont elle pensait tirer de grands avantages; tout autre chose que celui-ci : un Mirabeau ressuscité, un Danton décrotté et devenu fournisseur, un lion qui parlait de jeter tous les patriotes dans la Seine. A tout moment elle croyait entendre la sonnette et tressaillait.

Pour renvoyer Henry, elle se tut, bâilla, feuilleta une partition, et bâilla encore. Voyant qu'il ne s'en allait pas, elle lui dit qu'elle avait à sortir et passa dans son cabinet de toilette.

Il lui criait d'une voix émue :

" Adieu, Louise!... Vous reverrai-je jamais? "

Et ses mains fouillaient dans le secrétaire ouvert.

Dès qu'il fut dans la rue, il ouvrit la lettre adressée au citoyen Rauline et la lut avec intérêt. Elle contenait en effet un tableau curieux de l'état de l'esprit public en France. On y parlait de la reine, de la Thévenin, du Tribunal révolutionnaire, et maints propos confidentiels de ce bon Brotteaux des Ilettes y étaient rapportés.

Ayant achevé sa lecture et remis la lettre dans sa poche, il hésita quelques instants; puis, comme un homme qui a pris sa résolution et qui se dit que le plus tôt sera le mieux, il se dirigea vers les Tuileries et pénétra dans l'antichambre du Comité de sûreté générale.

Ce jour-là, à trois heures de l'après-midi, Évariste Gamelin s'asseyait sur le banc des jurés en compagnie de quatorze collègues qu'il connaissait pour la plupart, gens simples, honnêtes et patriotes, savants, artistes ou artisans : un peintre comme lui, un dessinateur, tous deux pleins de talent, un chirurgien, un cordonnier, un ci-devant marquis, qui avait donné de grandes preuves de civisme, un imprimeur, de petits marchands, un échantillon enfin du peuple de Paris. Ils se tenaient là, dans leur habit ouvrier ou bourgeois, tondus à la Titus ou portant le catogan, le chapeau à cornes enfoncé sur les yeux ou le chapeau rond posé en arrière de la tête, ou le bonnet rouge cachant les oreilles. Les uns étaient vêtus de la veste, de l'habit et de la culotte, comme en l'ancien temps, les autres, de la carmagnole et du pantalon rayé à la façon des sans-culottes. Chaussés de bottes ou de souliers à boucles ou de sabots, ils présentaient sur leurs personnes toutes les diversités du vêtement masculin en usage alors. Ayant tous déjà siégé plusieurs fois, ils semblaient fort à l'aise à leur banc et Gamelin enviait leur tranquillité. Son cœur battait, ses oreilles bourdonnaient, ses yeux se voilaient et tout ce qui l'entourait prenait pour lui une teinte livide.

Quand l'huissier annonça le Tribunal, trois juges prirent place sur une estrade assez petite, devant une table verte. Ils portaient un chapeau à cocarde, surmonté de grandes plumes noires, et le manteau d'audience avec un ruban tricolore d'où pendait sur leur poitrine une lourde médaille d'argent. Devant eux, au pied de l'estrade, siégeait le substitut de l'accusateur public, dans un costume semblable. Le greffier s'assit entre le Tribunal et le fauteuil vide de l'accusé. Gamelin voyait ces hommes différents de ce qu'il les avait vus jusque-là, plus beaux, plus graves, plus effrayants, bien qu'ils prissent des attitudes familières, feuilletant des papiers, appelant un huissier ou se penchant en arrière pour entendre quelque communication d'un juré ou d'un officier de service.

Au-dessus des juges, les tables des Droits de l'Homme étaient suspendues; à leur droite et à leur gauche, contre les vieilles murailles féodales, les bustes de Le Peltier Saint-Fargeau et de Marat. En face du banc des jurés, au fond de la salle, s'élevait la tribune publique. Des femmes en garnissaient le premier rang, qui blondes, brunes ou grises, portaient toutes la haute coiffe dont le bavolet plissé leur ombrageait les joues; sur leur poitrine, auxquelles la mode donnait uniformément l'ampleur d'un sein nourricier, se croisait le fichu blanc ou se recourbait la bavette du tablier bleu. Elles tenaient les bras croisés sur le rebord de la tribune. Derrière elles on voyait, clairsemés sur les gradins, des citoyens vêtus avec cette diversité qui donnait alors aux foules un caractère étrange et pittoresque. A droite, vers l'entrée, derrière une barrière pleine, s'étendait un espace où le public se tenait debout. Cette fois, il y était peu nombreux. L'affaire dont cette section du Tribunal allait s'occuper n'intéressait qu'un petit nombre de spectateurs, et, sans doute, les autres sections, qui siégeaient en même temps, appelaient des causes plus émouvantes.

C'est ce qui rassurait un peu Gamelin dont le cœur, prêt à faiblir, n'aurait pu supporter l'atmosphère enflammée des grandes audiences. Ses yeux s'attachaient aux moindres détails : il remarquait le coton dans l'oreille du greffier et une tache d'encre sur le dossier du substitut. Il voyait, comme avec une loupe, les chapiteaux sculptés dans un temps où toute connaissance des ordres antiques était perdue et qui surmontaient les colonnes gothiques de guirlandes d'ortie et de houx. Mais ses regards revenaient sans cesse à ce fauteuil, d'une forme surannée, garni de velours d'Utrecht rouge, usé au siège et noirci aux bras. Des gardes nationaux en armes se tenaient à toutes les issues.

Enfin l'accusé parut, escorté de grenadiers, libre toutefois de ses membres comme le prescrivait la loi. C'était un homme d'une cinquantaine d'années, maigre, sec, brun, très chauve, les joues creuses, les lèvres minces et violacées, vêtu à l'ancienne mode d'un habit sang de bœuf. Sans doute parce qu'il avait la fièvre, ses yeux brillaient comme des pierreries et ses joues avaient l'air d'être vernies. Il s'assit. Ses jambes, qu'il croisait, étaient d'une maigreur excessive et ses grandes mains noueuses en faisaient tout le tour. Il se nommait Marie-Adolphe Guillergues et était prévenu de dilapidation dans les fourrages de la République. L'acte d'accusation mettait à sa charge des faits nombreux et graves, dont aucun n'était absolument certain. Interrogé, Guillergues nia la plupart de ces faits et expliqua les autres à son avantage. Son langage était précis et froid, singulièrement habile et donnait l'idée d'un homme avec lequel il n'est pas désirable de traiter une affaire. Il avait réponse à tout. Quand le juge lui faisait une question embarrassante, son visage restait calme et sa parole assurée, mais ses deux mains, réunies sur sa poitrine, se crispaient d'angoisse. Gamelin s'en aperçut et dit à l'oreille de son voisin, peintre comme lui :

« Regardez ses pouces ! »

Le premier témoin qu'on entendit apporta des faits accablants. C'est sur lui que reposait toute l'accusation. Ceux qui furent appelés ensuite se montrèrent, au contraire, favorables à l'accusé. Le substitut de l'accusateur public fut véhément, mais demeura dans le vague. Le défenseur parla avec un ton de vérité qui valut à l'accusé des sympathies qu'il n'avait pas su lui-même se concilier. L'audience fut suspendue et les jurés se réunirent dans la chambre des délibérations. Là, après une discussion obscure et confuse, ils se partageaient en deux groupes à peu près égaux en nombre. On vit d'un côté les indifférents, les tièdes, les raisonneurs, qu'aucune passion n'animait, et d'un autre côté ceux qui se laissaient conduire par le sentiment, se montraient peu accessibles à l'argumentation et jugeaient avec le cœur. Ceux-là condamnaient toujours. C'étaient les bons, les purs : ils ne songeaient qu'à sauver la République et ne s'embarrassaient point du reste. Leur attitude fit une forte impression sur Gamelin qui se sentait en communion avec eux.

" Ce Guillergues, songeait-il, est un adroit fripon, un scélérat qui a spéculé sur le fourrage de notre cavalerie. L'absoudre, c'est laisser échapper un traître, c'est trahir la patrie, vouer l'armée à la défaite. " Et Gamelin voyait déjà les hussards de la République, sur leurs montures qui bronchaient, sabrés par la cavalerie ennemie.... " Mais si Guillergues était innocent?... "

Il pensa tout à coup à Jean Blaise, soupçonné aussi d'infidélité dans les fournitures. Tant d'autres devaient agir comme Guillergues et Blaise, préparer la défaite, perdre la République! Il fallait faire un exemple. Mais si Guillergues était innocent?...

" Il n'y a pas de preuves, dit Gamelin, à haute voix.

— Il n'y a jamais de preuves ", répondit en haussant les épaules le chef du jury, un bon, un pur.

Finalement, il se trouva sept voix pour la condamnation et huit pour l'acquittement.

Le jury rentra dans la salle et l'audience fut reprise. Les jurés étaient tenus de motiver leur verdict; chacun parla à son tour devant le fauteuil vide. Les uns étaient prolixes; les autres se contentaient d'un mot; il y en avait qui prononçaient des paroles inintelligibles.

Quand vint son tour, Gamelin se leva et dit :

" En présence d'un crime si grand que d'ôter aux défenseurs de la patrie les moyens de vaincre, on veut des preuves formelles que nous n'avons point. "

A la majorité des voix, l'accusé fut déclaré non coupable.

Guillergues fut ramené devant les juges, accompagné du murmure bienveillant des spectateurs qui lui annonçaient son acquittement. C'était un autre homme. La

écheresse de ses traits s'était fondue, ses lèvres s'étaient
mollies. Il avait l'air vénérable; son visage exprimait
'innocence. Le président lut, d'une voix émue, le verdict
ui renvoyait le prévenu; la salle éclata en applaudisse-
nents. Le gendarme qui avait amené Guillergues se préci-
ita dans ses bras. Le président l'appela et lui donna
'accolade fraternelle. Les jurés l'embrassèrent. Gamelin
leurait à chaudes larmes.

Dans la cour du Palais, illuminée des derniers rayons
lu jour, une multitude hurlante s'agitait. Les quatre
ections du Tribunal avaient prononcé la veille trente
ondamnations à mort, et, sur les marches du grand esca-
ier, des tricoteuses accroupies attendaient le départ des
harrettes. Mais Gamelin, descendant les degrés dans le
lot des jurés et des spectateurs, ne voyait rien, n'entendait
rien que son acte de justice et d'humanité et les félicitations
qu'il se donnait d'avoir reconnu l'innocence. Dans la
cour, Élodie, toute blanche, en larmes et souriante, se jeta
dans ses bras et y resta pâmée. Et, quand elle eut recouvré
la voix, elle lui dit :

“ Évariste, vous êtes beau, vous êtes bon, vous êtes
généreux! Dans cette salle, le son de votre voix, mâle et
douce, me traversait tout entière de ses ondes magnétiques.
J'en étais électrisée. Je vous contemplais à votre banc. Je
ne voyais que vous. Mais vous, mon ami, vous n'avez
donc pas deviné ma présence? Rien ne vous a averti que
j'étais là? Je me tenais dans la tribune, au second rang, à
droite. Mon Dieu! qu'il est doux de faire le bien! Vous
avez sauvé ce malheureux. Sans vous, c'en était fait de lui :
il périssait. Vous l'avez rendu à la vie, à l'amour des siens.
En ce moment, il doit vous bénir. Évariste, que je suis
heureuse et fière de vous aimer! ”

Se tenant par le bras, serrés l'un contre l'autre, ils
allaient par les rues, se sentant si légers qu'ils croyaient
voler.

Ils allaient à *L'Amour peintre.* Arrivés à l'Oratoire :

« Ne passons pas par le magasin », dit Élodie.

Elle le fit entrer par la porte cochère et monter avec elle à l'appartement. Sur le palier, elle tira de son réticule une grande clef de fer.

« On dirait une clef de prison, fit-elle. Évariste, vous allez être mon prisonnier. »

Ils traversèrent la salle à manger et furent dans la chambre de la jeune fille.

Évariste sentait sur ses lèvres la fraîcheur ardente des lèvres d'Élodie. Il la pressa dans ses bras. La tête renversée, les yeux mourants, les cheveux répandus, la taille ployée, à demi évanouie, elle lui échappa et courut pousser le verrou....

La nuit était déjà avancée quand la citoyenne Blaise ouvrit à son amant la porte de l'appartement et lui dit tout bas, dans l'ombre :

« Adieu, mon amour! C'est l'heure où mon père va rentrer. Si tu entends du bruit dans l'escalier, monte vite à l'étage supérieur et ne descends que quand il n'y aura plus de danger qu'on te voie. Pour te faire ouvrir la porte de la rue, frappe trois coups à la fenêtre de la concierge. Adieu, ma vie, adieu, mon âme! »

Quand il se trouva dans la rue, il vit la fenêtre de la chambre d'Élodie s'entrouvrir et une petite main cueillir un œillet rouge qui tomba à ses pieds comme une goutte de sang.

XII

Un soir que le vieux Brotteaux portait douze douzaines de pantins au citoyen Caillou, rue de la Loi, le marchand de jouets, doux et poli d'ordinaire, lui fit, au milieu de ses poupées et de ses polichinelles, un accueil malgracieux.

“ Prenez garde, citoyen Brotteaux, lui dit-il, prenez garde! Ce n'eſt pas toujours le temps de rire; les plaisanteries ne sont pas toutes bonnes : un membre du Comité de sûreté de la section, qui a visité hier mon établissement, a vu vos pantins et les a trouvés contre-révolutionnaires.

— Il se moquait! dit Brotteaux.

— Nenni, citoyen, nenni. C'eſt un homme qui ne plaisante pas. Il a dit qu'en ces petits bonshommes la représentation nationale était perfidement contrefaite, qu'on y reconnaissait notamment des caricatures de Couthon, de Saint-Juſt et de Robespierre, et il les a saisis. C'eſt une perte sèche pour moi, sans parler des périls où je suis exposé.

— Quoi! ces Arlequins, ces Gilles, ces Scaramouches, ces Colins et ces Colinettes, que j'ai peints tels que Boucher les peignait il y a cinquante ans, seraient des Couthon et des Saint-Juſt contrefaits? Il n'y a pas un homme sensé pour le prétendre.

— Il eſt possible, reprit le citoyen Caillou, que vous

ayez agi sans malice, bien qu'il faille toujours se défier d'un homme d'esprit comme vous. Mais le jeu est dangereux. En voulez-vous un exemple? Natoile, qui tient un petit théâtre aux Champs Élysées, a été arrêté avant-hier pour incivisme, à cause qu'il faisait jouer la Convention par Polichinelle.

— Encore un coup, dit Brotteaux, en soulevant la toile qui recouvrait ses petits pendus, regardez ces masques et ces visages, sont-ce d'autres que des personnages de comédie et de bergerie? Comment vous êtes-vous laissé dire, citoyen Caillou, que je jouais la Convention nationale? "

Brotteaux était surpris. Tout en accordant beaucoup à la sottise humaine, il n'eût pas cru qu'elle en vînt jamais à suspecter ses Scaramouches et ses Colinettes. Il protestait de leur innocence et de la sienne. Mais le citoyen Caillou ne voulait rien entendre.

" Citoyen Brotteaux, remportez vos pantins. Je vous estime, je vous honore, mais ne veux être ni blâmé ni inquiété à cause de vous. Je respecte la loi. J'entends rester bon citoyen et être traité comme tel. Bonsoir, citoyen Brotteaux; remportez vos pantins. "

Le vieux Brotteaux reprit le chemin de son logis, portant ses suspects sur l'épaule au bout d'une perche, et moqué par les enfants qui croyaient que c'était le marchand de mort-aux-rats. Ses pensées étaient tristes. Sans doute, il ne vivait pas seulement de ses pantins : il faisait des portraits à vingt sols, sous les portes cochères et dans un tonneau des halles, en compagnie des ravaudeuses, et beaucoup de jeunes garçons, qui partaient pour l'armée, voulaient laisser leur portrait à leur jeune maîtresse. Mais ces petits ouvrages lui donnaient un mal extrême, et il s'en fallait de beaucoup qu'il fît ses portraits aussi bien que ses pantins. Il servait parfois de secrétaire aux dames de la halle, mais c'était se mêler à des complots royalistes et les risques étaient gros. Il se rappela qu'il y avait dans la rue Neuve-des-Petits-Champs, proche la place ci-devant Vendôme, un autre marchand de jouets, nommé Joly, et il résolut d'aller dès le lendemain lui offrir ce que refusait le pusillanime Caillou.

Une pluie fine vint à tomber. Brotteaux, qui en craignait l'injure pour ses pantins, hâta le pas. Comme il passait le Pont-Neuf, sombre et désert, et tournait le coin de la place de Thionville, il vit à la lueur d'une lanterne, sur une borne, un maigre vieillard qui semblait exténué de fatigue et de faim, et gardait encore un air vénérable. Il était vêtu d'une lévite déchirée, n'avait point de chapeau et semblait âgé de plus de soixante ans. S'étant approché de ce malheureux, Brotteaux reconnut le Père Longuemare, qu'il avait sauvé de la lanterne, six mois en çà, tandis qu'ils faisaient tous deux la queue devant la boulangerie de la rue de Jérusalem. Engagé envers ce religieux par un premier service, Brotteaux s'approcha de lui, s'en fit reconnaître pour le publicain qui s'était trouvé à son côté au milieu de la canaille, un jour de grande disette, et lui demanda s'il ne pourrait point lui être utile.

" Vous paraissez las, mon Père. Prenez une goutte de cordial ".

Et Brotteaux tira de la poche de sa redingote puce un petit flacon d'eau-de-vie, qui y était avec son Lucrèce.

" Buvez. Et je vous aiderai à regagner votre domicile. "

Le Père Longuemare repoussa de la main le flacon et s'efforça de se lever. Mais il retomba sur sa borne.

" Monsieur, dit-il d'une voix faible, mais assurée, depuis trois mois j'habitais Picpus. Averti qu'on était venu m'arrêter chez moi, hier, à cinq heures de relevée, je ne suis pas rentré à mon domicile. Je n'ai point d'asile; j'erre dans les rues et suis un peu fatigué.

— Eh bien, mon Père, fit Brotteaux, accordez-moi l'honneur de partager mon grenier.

— Monsieur, dit le Barnabite, vous entendez bien que je suis suspect.

— Je le suis aussi, dit Brotteaux, et mes pantins le sont aussi, ce qui est le pis de tout. Vous les voyez exposés, sous cette mince toile, à la pluie fine qui nous morfond. Car, sachez, mon Père, qu'après avoir été publicain je fabrique des pantins pour subsister. »

Le Père Longuemare prit la main que lui tendait le ci-devant financier, et accepta l'hospitalité offerte. Brotteaux, en son grenier, lui servit du pain, du fromage et du vin, qu'il avait mis à rafraîchir dans sa gouttière, car il était sybarite.

Ayant apaisé sa faim :

« Monsieur, dit le Père Longuemare, je dois vous informer des circonstances qui ont amené ma fuite et m'ont jeté expirant sur cette borne où vous m'avez trouvé. Chassé de mon couvent, je vivais de la maigre rente que l'Assemblée m'avait faite; je donnais des leçons de latin et de mathématiques et j'écrivais des brochures sur la persécution de l'Église de France. J'ai même composé un ouvrage d'une certaine étendue, pour démontrer que le serment constitutionnel des prêtres est contraire à la discipline ecclésiastique. Les progrès de la Révolution m'ôtèrent tous mes élèves et je ne pouvais toucher ma pension faute d'avoir le certificat de civisme exigé par la loi. C'est ce certificat que j'allai demander à l'Hôtel de Ville, avec la conviction de le mériter. Membre d'un ordre institué par l'apôtre saint Paul lui-même, qui se prévalut du titre de citoyen romain, je me flattais de me conduire, à son imitation, en bon citoyen français, respectueux de toutes les lois humaines qui ne sont pas en opposition avec les lois divines. Je présentai ma requête à monsieur Colin, charcutier et officier municipal, préposé à la délivrance de ces sortes de cartes. Il m'interrogea sur mon état. Je lui dis que j'étais prêtre : il me demanda si j'étais marié, et, sur ma réponse que je ne l'étais pas, il me dit que c'était tant pis pour moi. Enfin, après diverses questions, il me demanda si j'avais prouvé mon civisme le 10 août, le 2 septembre et le 31 mai. " On ne peut donner de certificats, ajouta-t-il, " qu'à ceux qui ont prouvé leur civisme par leur conduite " en ces trois occasions ". Je ne pus lui faire une réponse qui le satisfît. Toutefois il prit mon nom et mon adresse et me promit de faire promptement une enquête sur mon cas. Il tint parole et c'est en conclusion de son enquête que deux commissaires du Comité de sûreté générale de Picpus, assistés de la force armée, se présentèrent à mon logis en mon absence pour me conduire en prison. Je ne sais de quel crime on m'accuse. Mais convenez qu'il faut plaindre monsieur Colin, dont l'esprit est assez troublé pour reprocher à un ecclésiastique de n'avoir pas montré son civisme le 10 août, le 2 septembre, le 31 mai. Un homme capable d'une telle pensée est bien digne de pitié.

— Moi non plus, je n'ai point de certificat, dit Brotteaux. Nous sommes tous deux suspects. Mais vous êtes las. Couchez-vous, mon Père. Nous aviserons demain à votre sécurité. "

Il donna le matelas à son hôte et garda pour lui la paillasse, que le religieux réclama par humilité, avec une telle instance qu'il fallut le satisfaire : il eût, sans cela, couché sur le carreau.

Ayant terminé ces arrangements, Brotteaux souffla la chandelle par économie et par prudence.

" Monsieur, lui dit le religieux, je reconnais ce que vous faites pour moi; mais, hélas! il est de peu de conséquence pour vous que je vous en sache gré. Puisse Dieu vous en faire un mérite! Ce serait pour vous d'une conséquence infinie. Mais Dieu ne tient pas compte de ce qui n'est pas fait pour sa gloire et n'est que l'effort d'une vertu purement naturelle. C'est pourquoi je vous supplie, monsieur, de faire pour Lui ce que vous étiez porté à faire pour moi.

— Mon Père, répondit Brotteaux, ne vous donnez point de souci et ne m'ayez nulle reconnaissance. Ce que je fais en ce moment et dont vous exagérez le mérite, je ne le fais pas pour l'amour de vous : car, enfin, bien que vous soyez aimable, mon Père, je vous connais trop peu pour vous aimer. Je ne le fais pas non plus pour l'amour de l'humanité : car je ne suis pas aussi simple que Don Juan, pour croire, comme lui, que l'humanité a des droits; et ce préjugé, dans un esprit aussi libre que le sien, m'afflige. Je le fais par cet égoïsme qui inspire à l'homme tous les actes de générosité et de dévouement, en le faisant se reconnaître dans tous les misérables, en le disposant à plaindre sa propre infortune dans l'infortune d'autrui et en l'excitant à porter aide à un mortel semblable à lui par la nature et la destinée, jusque-là qu'il croit se secourir lui-même en le secourant. Je le fais encore par désœuvrement : car la vie est à ce point insipide qu'il faut s'en distraire à tout prix et que la bienfaisance est un divertissement assez fade qu'on se donne à défaut d'autres plus savoureux; je le fais par orgueil et pour prendre avantage sur vous; je le fais, enfin, par esprit de système et pour vous montrer de quoi un athée est capable.

— Ne vous calomniez point, monsieur, répondit le Père Longuemare. J'ai reçu de Dieu plus de grâces qu'il ne vous en a accordées jusqu'à cette heure; mais je vaux moins que vous, et vous suis bien inférieur en mérites naturels. Permettez-moi cependant de prendre aussi sur vous un avantage. Ne me connaissant pas, vous ne pouvez m'aimer. Et moi, monsieur, sans vous connaître, je vous aime plus que moi-même : Dieu me l'ordonne. "

Ayant ainsi parlé, le Père Longuemare s'agenouilla sur le carreau, et, après avoir récité ses prières, s'étendit sur sa paillasse et s'endormit paisiblement.

XIII

Évariste Gamelin siégeait au Tribunal pour la deuxième fois. Avant l'ouverture de l'audience il s'entretenait, avec ses collègues du jury, des nouvelles arrivées le matin. Il y en avait d'incertaines et de fausses; mais ce qu'on pouvait retenir était terrible. Les armées coalisées, maîtresses de toutes les routes, marchant d'ensemble, la Vendée victorieuse, Lyon insurgé, Toulon livré aux Anglais, qui y débarquaient quatorze mille hommes.

C'était autant pour ces magistrats des faits domestiques que des événements intéressant le monde entier. Sûrs de périr si la patrie périssait, ils faisaient du salut public leur affaire propre. Et l'intérêt de la nation, confondu avec le leur, dictait leurs sentiments, leurs passions, leur conduite.

Gamelin reçut à son banc une lettre de Trubert, secrétaire du Comité de défense; c'était l'avis de sa nomination de commissaire des poudres et des salpêtres.

Tu fouilleras toutes les caves de la section pour en extraire les substances nécessaires à la fabrication de la poudre. L'ennemi sera peut-être demain devant Paris : il faut que le sol de la patrie nous fournisse la foudre que nous lancerons à ses agresseurs. Je t'envoie ci-contre une instruction de la Convention relative au traitement des salpêtres. Salut et fraternité.

A ce moment, l'accusé fut introduit. C'était un des derniers de ces généraux vaincus que la Convention livrait au Tribunal, et le plus obscur. A sa vue, Gamelin frissonna : il croyait revoir ce militaire que, mêlé au public, il avait vu, trois semaines auparavant, juger et envoyer à la guillotine. C'était le même homme, l'air têtu, borné : ce fut le même procès. Il répondait d'une façon sournoise et brutale qui gâtait ses meilleures réponses. Ses chicanes, ses arguties, les accusations dont il chargeait ses subordonnés, faisaient oublier qu'il accomplissait la tâche respectable de défendre son honneur et sa vie. Dans cette affaire tout était incertain, contesté, position des armées, nombre des effectifs, munitions, ordres donnés, ordres reçus, mouvements des troupes : on ne savait rien. Personne ne comprenait rien à ces opérations confuses, absurdes, sans but, qui avaient abouti à un désastre, personne, pas plus le défenseur et l'accusé lui-même que l'accusateur, les juges et les jurés, et, chose étrange, personne n'avouait à autrui ni à soi-même qu'il ne comprenait pas. Les juges se plaisaient à faire des plans, à disserter sur la tactique et la stratégie; l'accusé trahissait ses dispositions naturelles pour la chicane.

On disputait sans fin. Et Gamelin, durant ces débats, voyait sur les âpres routes du Nord les caissons embourbés et les canons renversés dans les ornières, et, par tous les chemins, défiler en désordre les colonnes vaincues, tandis que la cavalerie ennemie débouchait de toutes parts par les défilés abandonnés. Et il entendait de cette armée trahie monter une immense clameur qui accusait le général. A la clôture des débats, l'ombre emplissait la salle, et la figure indistincte de Marat apparaissait comme un fantôme sur la tête du président. Le jury appelé à se prononcer était partagé. Gamelin d'une voix sourde, qui s'étranglait dans sa gorge, mais d'un ton résolu, déclara l'accusé coupable de trahison envers la République, et un murmure approbateur, qui s'éleva dans la foule, vint caresser sa jeune vertu. L'arrêt fut lu aux flambeaux, dont la lueur livide tremblait sur les tempes creuses du condamné où l'on voyait perler la sueur. A la sortie, sur les degrés où grouillait la foule des commères encocardées, tandis qu'il entendait murmurer son nom, que les habitués du Tribunal commençaient à connaître, Gamelin fut assailli par des tricoteuses qui, lui montrant le poing, réclamaient la tête de l'Autrichienne.

Le lendemain, Évariste eut à se prononcer sur le sort d'une pauvre femme, la veuve Meyrion, porteuse de pain. Elle allait par les rues poussant une petite voiture et portant, pendue à sa taille, une planchette de bois blanc à laquelle elle faisait avec son couteau des coches qui représentaient le compte des pains qu'elle avait livrés. Son gain était de huit sous par jour. Le substitut de l'accusateur public se montra d'une étrange violence à l'égard de cette malheureuse, qui avait, paraît-il, crié : " Vive le roi! " à plusieurs reprises, tenu des propos contre-révolutionnaires dans les maisons où elle allait porter le pain de chaque jour, et trempé dans une conspiration qui avait pour objet l'évasion de la femme Capet. Interrogée par le juge, elle reconnut les faits qui lui étaient imputés; soit simplicité, soit fanatisme, elle professa des sentiments royalistes d'une grande exaltation et se perdit elle-même.

Le Tribunal révolutionnaire faisait triompher l'égalité en se montrant aussi sévère pour les portefaix et les servantes que pour les aristocrates et les financiers. Gamelin ne concevait point qu'il en pût être autrement sous un régime populaire. Il eût jugé méprisant, insolent pour le peuple, de l'exclure du supplice. C'eût été le considérer, pour ainsi dire, comme indigne du châtiment. Réservée aux seuls aristocrates, la guillotine lui eût paru une sorte de privilège inique. Gamelin commençait à se faire du châtiment une idée religieuse et mystique, à lui prêter une vertu, des mérites propres. Il pensait qu'on doit la peine aux criminels et que c'est leur faire tort que de les en frustrer. Il déclara la femme Meyrion coupable et digne du châtiment suprême, regrettant seulement que les fanatiques qui l'avaient perdue, plus coupables qu'elle, ne fussent pas là pour partager son sort.

Évariste se rendait presque chaque soir aux Jacobins, qui se réunissaient dans l'ancienne chapelle des Dominicains, vulgairement nommés Jacobins, rue Honoré. Sur une cour, où s'élevait un arbre de la Liberté, un peuplier, dont les feuilles agitées rendaient un perpétuel murmure, la chapelle, d'un style pauvre et maussade, lourdement coiffée de tuiles, présentait son pignon nu, percé d'un œil-de-bœuf et d'une porte cintrée, que surmontait le drapeau aux couleurs nationales, coiffé du bonnet de la Liberté. Les Jacobins, ainsi que les Cordeliers et les Feuillants, avaient pris la demeure et le nom de moines dispersés. Gamelin, assidu naguère aux séances des Cordeliers, ne retrouvait pas chez les Jacobins les sabots, les carmagnoles, les cris des dantonistes. Dans le club de Robespierre régnait la prudence administrative et la gravité bourgeoise. Depuis que l'Ami du peuple n'était plus, Évariste suivait les leçons de Maximilien, dont la pensée dominait aux Jacobins et, de là, par mille sociétés affiliées, s'étendait sur toute la France. Pendant la lecture du procès-verbal, il promenait ses regards sur les murs nus et tristes, qui, après avoir abrité les fils spirituels du grand inquisiteur de l'hérésie, voyaient assemblés les zélés inquisiteurs des crimes contre la patrie.

Là se tenait sans pompe et s'exerçait par la parole le plus grand des pouvoirs de l'État. Il gouvernait la cité, l'empire, dictait ses décrets à la Convention. Ces artisans du nouvel ordre de choses, si respectueux de la loi qu'ils demeuraient royalistes en 1791 et le voulaient être encore au retour de Varennes, par un attachement opiniâtre à la Constitution, amis de l'ordre établi, même après les massacres du Champ-de-Mars, et jamais révolutionnaires contre la révolution, étrangers aux mouvements populaires, nourrissaient dans leur âme sombre et puissante un amour de la patrie qui avait enfanté quatorze armées et dressé la guillotine. Évariste admirait en eux la vigilance, l'esprit soupçonneux, la pensée dogmatique, l'amour de la règle, l'art de dominer, une impériale sagesse.

Le public qui composait la salle ne faisait entendre qu'un frémissement unanime et régulier, comme le feuillage de l'arbre de la Liberté qui s'élevait sur le seuil.

Ce jour-là, 11 vendémiaire, un homme jeune, le front fuyant, le regard perçant, le nez en pointe, le menton aigu, le visage grêlé, l'air froid, monta lentement à la tribune. Il était poudré à frimas et portait un habit bleu qui lui marquait la taille. Il avait ce maintien compassé, tenait cette allure mesurée qui faisait dire aux uns, en se moquant, qu'il ressemblait à un maître à danser et qui le faisait saluer par d'autres du nom d' " Orphée français ". Robespierre prononça d'une voix claire un discours éloquent contre les ennemis de la République. Il frappa d'arguments métaphysiques et terribles Brissot et ses complices. Il parla longtemps, avec abondance, avec harmonie. Planant dans les sphères célestes de la philosophie, il lançait la foudre sur les conspirateurs qui rampaient sur le sol.

Évariste entendit et comprit. Jusque-là, il avait accusé la Gironde de préparer la restauration de la monarchie ou le triomphe de la faction d'Orléans et de méditer la ruine de la ville héroïque qui avait délivré la France et qui délivrerait un jour l'univers. Maintenant, à la voix du sage, il découvrait des vérités plus hautes et plus pures; il concevait une métaphysique révolutionnaire, qui élevait son esprit au-dessus des grossières contingences, à l'abri des erreurs des sens, dans la région des certitudes absolues. Les choses sont par elles-mêmes mélangées et pleines de confusion; la complexité des faits est telle qu'on s'y perd.

Robespierre les lui simplifiait, lui présentait le bien et le mal en des formules simples et claires. Fédéralisme, indivisibilité : dans l'unité et l'indivisibilité était le salut; dans le fédéralisme, la damnation. Gamelin goûtait la joie profonde d'un croyant qui sait le mot qui sauve et le mot qui perd. Désormais le Tribunal révolutionnaire, comme autrefois les tribunaux ecclésiastiques, connaîtrait du crime absolu, du crime verbal. Et, parce qu'il avait l'esprit religieux, Évariste recevait ces révélations avec un sombre enthousiasme; son cœur s'exaltait et se réjouissait à l'idée que désormais, pour discerner le crime et l'innocence, il possédait un symbole. Vous tenez lieu de tout, ô trésors de la foi!

Le sage Maximilien l'éclairait aussi sur les intentions perfides de ceux qui voulaient égaliser les biens et partager les terres, supprimer la richesse et la pauvreté et établir pour tous la médiocrité heureuse. Séduit par leurs maximes, il avait d'abord approuvé leurs desseins qu'il jugeait conformes aux principes d'un vrai républicain. Mais Robespierre, par ses discours aux Jacobins, lui avait révélé leurs menées et découvert que ces hommes, dont les intentions paraissaient pures, tendaient à la subversion de la République, et n'alarmaient les riches que pour susciter à l'autorité légitime de puissants et implacables ennemis. En effet, sitôt la propriété menacée, la population tout entière, d'autant plus attachée à ses biens qu'elle en possédait peu, se retournait brusquement contre la République. Alarmer les intérêts, c'est conspirer. Sous apparence de préparer le bonheur universel et le règne de la justice, ceux qui proposaient comme un objet digne de l'effort des citoyens l'égalité et la communauté des biens étaient des traîtres et des scélérats plus dangereux que les fédéralistes.

Mais la plus grande révélation que lui eût apportée la sagesse de Robespierre, c'était les crimes et les infamies de l'athéisme. Gamelin n'avait jamais nié l'existence de

Dieu; il était déiste et croyait à une providence qui veille sur les hommes; mais, s'avouant qu'il ne concevait que très indistinctement l'Être suprême et très attaché à la liberté de conscience, il admettait volontiers que d'honnêtes gens pussent, à l'exemple de Lamettrie, de Boulanger, du baron d'Holbach, de Lalande, d'Helvétius, du citoyen Dupuis, nier l'existence de Dieu, à la charge d'établir une morale naturelle et de retrouver en eux-mêmes les sources de la justice et les règles d'une vie vertueuse. Il s'était même senti en sympathie avec les athées, quand il les avait vus injuriés ou persécutés. Maximilien lui avait ouvert l'esprit et dessillé les yeux. Par son éloquence vertueuse, ce grand homme lui avait révélé le vrai caractère de l'athéisme, sa nature, ses intentions, ses effets; il lui avait démontré que cette doctrine, formée dans les salons et les boudoirs de l'aristocratie, était la plus perfide invention que les ennemis du peuple eussent imaginée pour le démoraliser et l'asservir; qu'il était criminel d'arracher du cœur des malheureux la pensée consolante d'une providence rémunératrice et de les livrer sans guide et sans frein aux passions qui dégradent l'homme et en font un vil esclave, et qu'enfin l'épicurisme monarchique d'un Helvétius conduisait à l'immoralité, à la cruauté, à tous les crimes. Et, depuis que les leçons d'un grand citoyen l'avaient instruit, il exécrait les athées, surtout lorsqu'ils l'étaient d'un cœur ouvert et joyeux, comme le vieux Brotteaux.

Dans les jours qui suivirent, Evariste eut à juger, coup sur coup, un ci-devant convaincu d'avoir détruit des grains pour affamer le peuple, trois émigrés qui étaient revenus fomenter la guerre civile en France, deux filles du Palais-Égalité, quatorze conspirateurs bretons, femmes, vieillards, adolescents, maîtres et serviteurs. Le crime était avéré, la loi formelle. Parmi les coupables se trouvait une femme de vingt ans, parée des splendeurs de la jeunesse sous les ombres de sa fin prochaine, charmante. Un nœud bleu retenait ses cheveux d'or, son fichu de linon découvrait un cou blanc et flexible.

Évariste opina constamment pour la mort, et tous les accusés, à l'exception d'un vieux jardinier, furent envoyés à l'échafaud.

La semaine suivante, Évariste et sa section fauchèrent quarante-cinq hommes et dix-huit femmes.

Les juges du Tribunal révolutionnaire ne faisaient pas de distinction entre les hommes et les femmes, inspirés en cela par un principe aussi ancien que la justice même. Et, si le président Montané, touché par le courage et la beauté de Charlotte Corday, avait tenté de la sauver en altérant la procédure, et y avait perdu son siège, les femmes, le plus souvent, étaient interrogées sans faveur, d'après la règle commune à tous les tribunaux. Les jurés les craignaient, se défiaient de leurs ruses, de leur habitude de feindre, de leurs moyens de séduction. Égalant les hommes en courage, elles invitaient par là le Tribunal à les traiter comme les hommes. La plupart de ceux qui les jugeaient, médiocrement sensuels ou sensuels à leurs heures, n'en étaient nullement troublés. Ils condamnaient ou acquittaient ces femmes selon leur conscience, leurs préjugés, leur zèle, leur amour mol ou violent de la République. Elles se montraient presque toutes soigneusement coiffées et mises avec autant de recherche que leur permettait leur malheureux état. Mais il y en avait peu de jeunes, moins encore de jolies. La prison et les soucis les avaient flétries, le jour cru de la salle trahissait leur fatigue, leurs angoisses, accusait leurs paupières flétries, leur teint couperosé, leurs lèvres blanches et contractées. Pourtant le fatal fauteuil reçut plus d'une fois une femme jeune, belle dans sa pâleur, alors qu'une ombre funèbre, pareille aux voiles de la volupté noyait ses regards. A cette vue, que des jurés se soient ou attendris ou irrités; que, dans le secret de ses sens dépravés, un de ces magistrats ait scruté les secrets les plus intimes de cette créature qu'il se représentait à la fois vivante et morte, et que, en remuant des images voluptueuses et sanglantes, il se soit donné le plaisir atroce de livrer au bourreau ce corps désiré, c'est ce que, peut-être, on doit taire, mais qu'on ne peut nier, si l'on connaît les hommes. Évariste Gamelin, artiste froid et savant, ne reconnaissait de beauté qu'à l'antique, et la beauté lui inspirait moins de trouble que de respect. Son goût classique avait de telles sévérités qu'il trouvait rarement une femme à son gré; il était insensible aux charmes d'un joli visage autant qu'à la couleur de Fragonard et aux formes de Boucher. Il n'avait jamais connu le désir que dans l'amour profond.

Comme la plupart de ses collègues du Tribunal, il croyait les femmes plus dangereuses que les hommes. Il haïssait les ci-devant princesses, celles qu'il se figurait, dans ses songes pleins d'horreur, mâchant, avec Élisabeth et l'Autrichienne, des balles pour assassiner les patriotes; il haïssait même toutes ces belles amies des financiers, des philosophes et des hommes de lettres, coupables d'avoir joui des plaisirs des sens et de l'esprit et vécu dans un temps où il était doux de vivre. Il les haïssait sans s'avouer sa haine, et, quand il en avait quelqu'une à juger, il la condamnait par ressentiment, croyant la condamner avec justice pour le salut public. Et son honnêteté, sa pudeur virile, sa froide sagesse, son dévouement à l'État, ses vertus enfin, poussaient sous la hache des têtes touchantes.

Mais qu'est ceci et que signifie ce prodige étrange? Naguère encore il fallait chercher les coupables, s'efforcer de les découvrir dans leur retraite et de leur tirer l'aveu de leur crime. Maintenant, ce n'est plus la chasse avec une multitude de limiers, la poursuite d'une proie timide :

voici que de toutes parts s'offrent les victimes. Nobles, vierges, soldats, filles publiques se ruent sur le Tribunal, arrachent aux juges leur condamnation trop lente, réclament la mort comme un droit dont ils sont impatients de jouir. Ce n'est pas assez de cette multitude dont le zèle des délateurs a rempli les prisons et que l'accusateur public et ses acolytes s'épuisent à faire passer devant le Tribunal : il faut pourvoir encore au supplice de ceux qui ne veulent pas attendre. Et tant d'autres, encore plus prompts et plus fiers, enviant leur mort aux juges et aux bourreaux, se frappent de leur propre main! A la fureur de tuer répond la fureur de mourir. Voici, à la Conciergerie, un jeune militaire, beau, vigoureux, aimé; il a laissé dans la prison une amante adorable qui lui a dit : " Vis pour moi! " Il ne veut vivre ni pour elle, ni pour l'amour, ni pour la gloire. Il a allumé sa pipe avec son acte d'accusation. Et, républicain, car il respire la liberté par tous les pores, il se fait royaliste afin de mourir. Le Tribunal s'efforce de l'acquitter; l'accusé est le plus fort; juges et jurés sont obligés de céder.

L'esprit d'Évariste, naturellement inquiet et scrupuleux, s'emplissait, aux leçons des Jacobins et au spectacle de la vie, de soupçons et d'alarmes. A la nuit, en suivant, pour se rendre chez Élodie, les rues mal éclairées, il croyait, par chaque soupirail, apercevoir dans la cave la planche aux faux assignats; au fond de la boutique vide du boulanger ou de l'épicier il devinait des magasins regorgeant de vivres accaparés; à travers les vitres étincelantes des traiteurs, il lui semblait entendre les propos des agioteurs qui préparaient la ruine du pays en vidant des bouteilles de vin de Beaune ou de Chablis; dans les ruelles infectes, il apercevait les filles de joie prêtes à fouler aux pieds la cocarde nationale aux applaudissements de la jeunesse élégante; il voyait partout des conspirateurs et des traîtres. Et il songeait : " République! contre tant d'ennemis secrets ou déclarés, tu n'as qu'un secours. Sainte guillotine, sauve la patrie!..."

Élodie l'attendait dans sa petite chambre bleue, au-dessus de l'*Amour peintre*. Pour l'avertir qu'il pouvait entrer, elle mettait sur le rebord de la fenêtre son petit arrosoir vert, près du pot d'œillets. Maintenant il lui faisait horreur, il lui apparaissait comme un monstre : elle avait peur de lui et elle l'adorait. Toute la nuit, pressés éperdument l'un contre l'autre, l'amant sanguinaire et la voluptueuse fille se donnaient en silence des baisers furieux.

XIV

Levé dès l'aube, le Père Longuemare, ayant balayé la chambre, s'en alla dire sa messe dans une chapelle de la rue d'Enfer, desservie par un prêtre insermenté. Il y avait à Paris des milliers de retraites semblables, où le clergé réfractaire réunissait clandestinement de petits troupeaux de fidèles. La police des sections, bien que vigilante et soupçonneuse, fermait les yeux sur ces bercails cachés, de peur des ouailles irritées et par un reste de vénération pour les choses saintes. Le Barnabite fit ses adieux à son hôte, qui eut grand-peine à obtenir qu'il revînt dîner, et l'engagea enfin par la promesse que la chère ne serait ni abondante ni délicate.

Brotteaux, demeuré seul, alluma un petit fourneau de terre; puis, tout en préparant le dîner du religieux et de l'épicurien, il relisait Lucrèce et méditait sur la condition des hommes.

Ce sage n'était pas surpris que des êtres misérables, vains jouets des forces de la nature, se trouvassent le plus souvent dans des situations absurdes et pénibles; mais il avait la faiblesse de croire que les révolutionnaires étaient plus méchants et plus sots que les autres hommes, en quoi il tombait dans l'idéologie. Au reste, il n'était point pessimiste et ne pensait pas que la vie fût tout à fait mauvaise. Il admirait la nature en plusieurs de ses parties, spécialement dans la mécanique céleste et dans l'amour physique et s'accommodait des travaux de la vie en attendant le jour prochain où il ne connaîtrait plus ni craintes ni désirs.

Il coloria quelques pantins avec attention et fit une Zerline qui ressemblait à la Thévenin. Cette fille lui plaisait et son épicurisme louait l'ordre des atomes qui la composaient.

Ces soins l'occupèrent jusqu'au retour du Barnabite.

“ Mon Père, fit-il en lui ouvrant la porte, je vous avais bien dit que notre repas serait maigre. Nous n'avons que des châtaignes. Encore s'en faut-il qu'elles soient bien assaisonnées.

— Des châtaignes! s'écria le Père Longuemare en souriant, il n'y a point de mets plus délicieux. Mon père, monsieur, était un pauvre gentilhomme limousin, qui possédait, pour tout bien, un pigeonnier en ruines, un verger sauvage et un bouquet de châtaigniers. Il se nourrissait, avec sa femme et ses douze enfants, de grosses châtaignes vertes, et nous étions tous forts et robustes. J'étais le plus jeune et le plus turbulent : mon père disait, par plaisanterie, qu'il faudrait m'envoyer à l'Amérique faire le flibustier.... Ah! monsieur, que cette soupe aux châtaignes est parfumée! Elle me rappelle la table couronnée d'enfants où souriait ma mère. ”

Le repas achevé, Brotteaux se rendit chez Joly, marchand de jouets rue Neuve-des-Petits-Champs, qui prit les pantins refusés par Caillou et en commanda non pas douze douzaines à la fois comme celui-ci, mais bien vingt-quatre douzaines pour commencer.

En atteignant la rue ci-devant Royale, Brotteaux vit sur la place de la Révolution étinceler un triangle d'acier entre deux montants de bois : c'était la guillotine. Une foule énorme et joyeuse de curieux se pressait autour de l'échafaud, attendant les charrettes pleines. Des femmes, portant l'éventaire sur le ventre, criaient les gâteaux de

Nanterre. Les marchands de tisane agitaient leur sonnette; au pied de la statue de la Liberté, un vieillard montrait des gravures d'optique dans un petit théâtre surmonté d'une escarpolette où se balançait un singe. Des chiens, sous l'échafaud, léchaient le sang de la veille. Brotteaux rebroussa vers la rue Honoré.

Rentré dans son grenier, où le Barnabite lisait son bréviaire, il essuya soigneusement la table et y mit sa boîte de couleurs ainsi que les outils et les matériaux de son état.

« Mon Père, dit-il, si vous ne jugez pas cette occupation indigne du sacré caractère dont vous êtes revêtu, aidez-moi, je vous prie, à fabriquer des pantins. Un sieur Joly m'en a fait, ce matin même, une assez grosse commande. Pendant que je peindrai ces figures déjà formées, vous me rendrez grand service en découpant des têtes, des bras, des jambes et des troncs sur les patrons que voici. Vous n'en sauriez trouver de meilleurs : ils sont d'après Watteau et Boucher.

— Je crois, en effet, monsieur, dit Longuemare, que Watteau et Boucher étaient propres à créer de tels brimborions : il eût mieux valu, pour leur gloire, qu'ils s'en fussent tenus à d'innocents pantins comme ceux-ci. Je serais heureux de vous aider, mais je crains de n'être pas assez habile pour cela. »

Le Père Longuemare avait raison de se défier de son adresse : après plusieurs essais malheureux, il fallut bien reconnaître que son génie n'était pas de découper à la pointe du canif, dans un mince carton, des contours agréables. Mais quand, à sa demande, Brotteaux lui eut donné de la ficelle et un passe-lacet, il se révéla très apte à douer de mouvement ces petits êtres qu'il n'avait su former, et à les instruire à la danse. Il avait bonne grâce à les essayer ensuite en faisant exécuter à chacun d'eux quelques pas de gavotte, et, quand ils répondaient à ses soins, un sourire glissait sur ses lèvres sévères.

Une fois qu'il tirait en mesure la ficelle d'un Scaramouche :

" Monsieur, dit-il, ce petit masque me rappelle une singulière histoire. C'était en 1746 : j'achevais mon noviciat, sous la direction du Père Magitot, homme âgé, de profond savoir et de mœurs austères. A cette époque, il vous en souvient peut-être, les pantins, destinés d'abord à l'amusement des enfants, exerçaient sur les femmes et même sur les hommes jeunes et vieux un attrait extraordinaire; ils faisaient fureur à Paris. Les boutiques des marchands à la mode en regorgeaient; on en trouvait chez les personnes de qualité, et il n'était pas rare de voir à la promenade et dans les rues un grave personnage faire danser son pantin. L'âge, le caractère, la profession du Père Magitot ne le gardèrent point de la contagion. Alors qu'il voyait chacun occupé à faire sauter un petit homme de carton, ses doigts éprouvaient des impatiences qui lui devinrent bientôt très importunes. Un jour que pour une affaire importante, qui intéressait l'ordre tout entier, il faisait visite à monsieur Chauvel, avocat au Parlement, avisant un pantin suspendu à la cheminée, il éprouva une terrible tentation d'en tirer la ficelle. Ce ne fut qu'au prix d'un grand effort qu'il en triompha. Mais ce désir frivole le poursuivit et ne lui laissa plus de repos. Dans ses études, dans ses méditations, dans ses prières, à l'église, dans le chapitre, au confessionnal, en chaire, il en était obsédé. Après quelques jours consumés dans un trouble affreux, il exposa ce cas extraordinaire au général de l'ordre, qui, en ce moment, se trouvait heureusement à Paris. C'était un docteur éminent et l'un des princes de l'église de Milan. Il conseilla au Père Magitot de satisfaire une envie innocente dans son principe, importune dans ses conséquences et dont l'excès menaçait de causer dans l'âme qui en était dévorée les plus graves désordres. Sur l'avis ou, pour mieux dire, par l'ordre du général, le Père Magitot retourna chez monsieur Chauvel, qui le reçut, comme la première fois, dans son cabinet. Là, retrouvant le pantin accroché à la cheminée, il s'en approcha vivement et demanda à son hôte la grâce d'en tirer un moment la ficelle. L'avocat la lui accorda très volontiers et lui confia que parfois il faisait danser Scaramouche (c'était le nom du pantin) en préparant ses plaidoiries et que, la veille encore, il avait réglé sur les mouvements de Scaramouche sa péroraison en faveur d'une femme accusée faussement d'avoir empoisonné son mari. Le Père Magitot saisit en tremblant la ficelle, et vit sous sa main Scaramouche s'agiter comme un possédé qu'on exorcise. Ayant ainsi contenté son caprice, il fut délivré de l'obsession.

— Votre récit ne me surprend pas, mon Père, dit Brotteaux. On voit de ces obsessions. Mais ce ne sont pas toujours des figures de carton qui les causent. "

Le Père Longuemare, qui était religieux, ne parlait jamais de religion; Brotteaux en parlait constamment. Et, comme il se sentait de la sympathie pour le Barnabite, il se plaisait à l'embarrasser et à le troubler par des objections à divers articles de la doctrine chrétienne.

Une fois, tandis qu'ils fabriquaient ensemble des Zerlines et des Scaramouches :

" Quand je considère, dit Brotteaux, les événements qui nous ont mis au point où nous sommes, doutant quel parti, dans la folie universelle, a été le plus fou, je ne suis pas éloigné de croire que ce fut celui de la cour.

— Monsieur, répondit le religieux, tous les hommes deviennent insensés, comme Nabuchodonosor, quand Dieu les abandonne; mais nul homme, de nos jours, ne plongea dans l'ignorance et l'erreur aussi profondément que monsieur l'abbé Fauchet, nul homme ne fut aussi funeste au royaume que celui-là. Il fallait que Dieu fût ardemment irrité contre la France, pour lui envoyer monsieur l'abbé Fauchet!

— Il me semble que nous avons vu d'autres malfaiteurs que ce malheureux Fauchet.

— Monsieur l'abbé Grégoire a montré aussi beaucoup de malice.

— Et Brissot, et Danton, et Marat, et cent autres, qu'en dites-vous, mon Père?

— Monsieur, ce sont des laïques : les laïques ne sauraient encourir les mêmes responsabilités que les religieux. Ils ne font pas le mal de si haut, et leurs crimes ne sont point universels.

— Et votre Dieu, mon Père, que dites-vous de sa conduite dans la révolution présente?

— Je ne vous comprends pas, monsieur.

— Épicure a dit : " Ou Dieu veut empêcher le mal et
" ne le peut, ou il le peut et ne le veut, ou il ne le peut ni ne
" le veut, ou il le veut et le peut. S'il le veut et ne le peut,
" il est impuissant; s'il le peut et ne le veut, il est pervers;
" s'il ne le peut ni ne le veut, il est impuissant et pervers;
" s'il le veut et le peut, que ne le fait-il, mon Père? "

Et Brotteaux jeta sur son interlocuteur un regard satisfait.

" Monsieur, répondit le religieux, il n'y a rien de plus misérable que les difficultés que vous soulevez. Quand j'examine les raisons de l'incrédulité, il me semble voir des fourmis opposer quelques brins d'herbe comme une digue au torrent qui descend des montagnes. Souffrez que je ne dispute pas avec vous : j'y aurais trop de raisons et trop peu d'esprit. Au reste, vous trouverez votre condamnation dans l'abbé Guénée et dans vingt autres. Je vous dirai seulement que ce que vous rapportez d'Épicure est une sottise : car on y juge Dieu comme s'il était un homme et en avait la morale. Eh bien! monsieur, les incrédules, depuis Celse jusqu'à Bayle et Voltaire, ont abusé les sots avec de semblables paradoxes.

— Voyez, mon Père, dit Brotteaux, où votre foi vous

entraîne. Non content de trouver toute la vérité dans votre théologie, vous voulez encore n'en rencontrer aucune dans les ouvrages de tant de beaux génies qui pensèrent autrement que vous.

— Vous vous trompez entièrement, monsieur, répliqua Longuemare. Je crois, au contraire, que rien ne saurait être tout à fait faux dans la pensée d'un homme. Les athées occupent le plus bas échelon de la connaissance; à ce degré encore, il reste des lueurs de raison et des éclairs de vérité, et, alors même que les ténèbres le noient, l'homme dresse un front où Dieu mit l'intelligence : c'est le sort de Lucifer.

— Eh bien, monsieur, dit Brotteaux, je ne serai pas si généreux et je vous avouerai que je ne trouve pas dans tous les ouvrages des théologiens un atome de bon sens. »

Il se défendait toutefois de vouloir attaquer la religion, qu'il estimait nécessaire aux peuples : il eût souhaité seulement qu'elle eût pour ministres des philosophes et non des controversistes. Il déplorait que les Jacobins voulussent la remplacer par une religion plus jeune et plus maligne, par la religion de la liberté, de l'égalité, de la république, de la patrie. Il avait remarqué que c'est dans la vigueur de leur jeune âge que les religions sont le plus furieuses et le plus cruelles, et qu'elles s'apaisent en vieillissant. Aussi, souhaitait-il qu'on gardât le catholicisme, qui avait beaucoup dévoré de victimes au temps de sa vigueur, et qui maintenant, appesanti sous le poids des ans, d'appétit médiocre, se contentait de quatre ou cinq rôtis d'hérétiques en cent ans.

« Au reste, ajouta-t-il, je me suis toujours bien accommodé des théophages et des christicoles. J'avais un aumônier aux Ilettes : chaque dimanche, on y disait la messe; tous mes invités y assistaient. Les philosophes y étaient les plus recueillis et les filles d'Opéra les plus ferventes. J'étais heureux alors et comptais de nombreux amis.

— Des amis, s'écria le Père Longuemare, des amis !... Ah ! monsieur, croyez-vous qu'ils vous aimaient, tous ces philosophes et toutes ces courtisanes, qui ont dégradé votre âme de telle sorte que Dieu lui-même aurait peine à y reconnaître un des temples qu'il a édifiés pour sa gloire ? »

Le Père Longuemare continua d'habiter huit jours chez le publicain sans y être inquiété. Il suivait, autant qu'il pouvait, la règle de sa communauté et se levait de sa paillasse pour réciter, agenouillé sur le carreau, les offices de nuit. Bien qu'ils n'eussent tous deux à manger que de misérables rogatons, il observait le jeûne et l'abstinence. Témoin affligé et souriant de ces austérités, le philosophe lui demanda, un jour :

« Croyez-vous vraiment que Dieu éprouve quelque plaisir à vous voir endurer ainsi le froid et la faim ?

— Dieu lui-même, répondit le moine, nous a donné l'exemple de la souffrance. »

Le neuvième jour depuis que le Barnabite logeait dans le grenier du philosophe, celui-ci sortit entre chien et loup pour porter ses pantins à Joly, marchand de jouets, rue Neuve-des-Petits-Champs. Il revenait heureux de les avoir tous vendus, lorsque, sur la ci-devant place du Carrousel, une fille en pelisse de satin bleu bordée d'hermine, qui courait en boitant, se jeta dans ses bras et le tint embrassé à la façon des suppliantes de tous les temps. Elle tremblait; on entendait les battements précipités de son cœur. Admirant comme elle se montrait pathétique dans sa vulgarité, Brotteaux, vieil amateur de théâtre, songea que mademoiselle Raucourt ne l'eût pas vue sans profit.

Elle parlait d'une voix haletante, dont elle baissait le ton de peur d'être entendue des passants :

« Emmenez-moi, citoyen, cachez-moi, par pitié !... Ils sont dans ma chambre, rue Fromenteau. Pendant qu'ils montaient, je me suis réfugiée chez Flora, ma voisine, et j'ai sauté par la fenêtre dans la rue, de sorte que je me suis foulé le pied.... Ils viennent; ils veulent me mettre en prison et me faire mourir.... La semaine dernière, ils ont fait mourir Virginie. "

Brotteaux comprenait bien qu'elle parlait des délégués du Comité révolutionnaire de la section ou des commissaires du Comité de sûreté générale. La Commune avait alors un procureur vertueux, le citoyen Chaumette, qui poursuivait les filles de joie comme les plus funestes ennemies de la République. Il voulait régénérer les mœurs. A vrai dire, les demoiselles du Palais-Égalité étaient peu patriotes. Elles regrettaient l'ancien état et ne s'en cachaient pas toujours. Plusieurs avaient été déjà guillotinées comme conspiratrices, et leur sort tragique avait excité beaucoup d'émulation chez leurs pareilles.

Le citoyen Brotteaux demanda à la suppliante par quelle faute elle s'était attiré un mandat d'arrêt.

Elle jura qu'elle n'en savait rien, qu'elle n'avait rien fait qu'on pût lui reprocher.

" Eh bien, ma fille, lui dit Brotteaux, tu n'es point suspecte : tu n'as rien à craindre. Va te coucher, et laisse-moi tranquille. "

Alors elle avoua tout :

" J'ai arraché ma cocarde et j'ai crié : " Vive le roi! "

Il s'engagea sur les quais déserts, avec elle. Serrée à son bras, elle disait :

" Ce n'est pas que je l'aime, le roi; vous pensez bien que je ne l'ai jamais connu et peut-être n'était-il pas un homme très différent des autres. Mais ceux-ci sont méchants. Ils se montrent cruels envers les pauvres filles. Ils me tourmentent, me vexent et m'injurient de toutes les manières; ils veulent m'empêcher de faire mon métier. Je n'en ai pas d'autre. Vous pensez bien que si j'en avais un autre, je ne ferais pas celui-là.... Qu'est-ce qu'ils veulent? Ils s'acharnent contre les petits, les faibles, le laitier, le charbonnier, le porteur d'eau, la blanchisseuse. Ils ne seront contents que lorsqu'ils auront mis contre eux tout le pauvre monde. "

Il la regarda : elle avait l'air d'un enfant. Elle ne ressentait plus de peur. Elle souriait presque, légère et boitillante. Il lui demanda son nom. Elle répondit qu'elle se nommait Athénaïs et avait seize ans.

Brotteaux lui offrit de la conduire où elle voudrait. Elle ne connaissait personne à Paris; mais elle avait une tante, servante à Palaiseau, qui la garderait chez elle.

Brotteaux prit sa résolution :

" Viens, mon enfant ", lui dit-il.

Et il l'emmena, appuyée à son bras.

Rentré dans son grenier, il trouva le Père Longuemare qui lisait son bréviaire.

Il lui montra Athénaïs, qu'il tenait par la main :

" Mon Père, voilà une fille de la rue Fromenteau qui a crié : " Vive le roi! " La police révolutionnaire est à ses trousses. Elle n'a point de gîte. Permettrez-vous qu'elle passe la nuit ici? "

Le Père Longuemare ferma son bréviaire :

" Si je vous comprends bien, dit-il, vous me demandez monsieur, si cette jeune fille, qui est comme moi sous le coup d'un mandat d'arrêt, peut, pour son salut temporel, passer la nuit dans la même chambre que moi.

— Oui, mon Père.

— De quel droit m'y opposerais-je? et, pour me croire offensé de sa présence, suis-je sûr de valoir mieux qu'elle? "

Il se mit, pour la nuit, dans un vieux fauteuil ruiné, assurant qu'il y dormirait bien. Athénaïs se coucha sur le matelas. Brotteaux s'étendit sur la paillasse et souffla la chandelle.

Les heures et les demies sonnaient aux clochers des églises : il ne dormait point et entendait les souffles mêlés du religieux et de la fille. La lune, image et témoin de ses anciennes amours, se leva et envoya dans la mansarde un rayon d'argent qui éclaira la chevelure blonde, les cils d'or, le nez fin, la bouche ronde et rouge d'Athénaïs, dormant les poings fermés.

« Voilà, songea-t-il, une terrible ennemie de la République ! »

Quand Athénaïs se réveilla, il faisait jour. Le religieux était parti. Brotteaux, sous la lucarne, lisant Lucrèce, s'instruisait, aux leçons de la muse latine, à vivre sans craintes et sans désirs ; et toutefois il était dévoré de regrets et d'inquiétudes.

En ouvrant les yeux, Athénaïs vit avec stupeur sur sa tête les solives d'un grenier. Puis elle se rappela, sourit à son sauveur et tendit vers lui, pour le caresser, ses jolies petites mains sales.

Soulevée sur sa couche, elle montra du doigt le fauteuil délabré où le religieux avait passé la nuit.

« Il est parti ?... Il n'est pas allé me dénoncer, dites ?

— Non, mon enfant. On ne saurait trouver plus honnête homme que ce vieux fou. »

Athénaïs demanda quelle était la folie de ce bonhomme ; et, quand Brotteaux lui eut dit que c'était la religion, elle lui reprocha gravement de parler ainsi, déclara que les hommes sans religion étaient pis que des bêtes et que, pour elle, elle priait Dieu souvent, espérant qu'il lui pardonnerait ses péchés et la recevrait en sa sainte miséricorde.

Puis, remarquant que Brotteaux tenait un livre à la main, elle crut que c'était un livre de messe et dit :

« Vous voyez bien que, vous aussi, vous dites vos prières ! Dieu vous récompensera de ce que vous avez fait pour moi. »

Brotteaux lui ayant dit que ce livre n'était pas un livre de messe, et qu'il avait été écrit avant que l'idée de messer se fût introduite dans le monde, elle pensa que c'était une

Clef des Songes, et demanda s'il ne s'y trouvait pas l'explication d'un rêve extraordinaire qu'elle avait fait. Elle ne savait pas lire et ne connaissait, par ouï-dire, que ces deux sortes d'ouvrages.

Brotteaux lui répondit que ce livre n'expliquait que le songe de la vie. La belle enfant, trouvant cette réponse difficile, renonça à la comprendre et se trempa le bout du nez dans la terrine qui remplaçait pour Brotteaux les cuvettes d'argent dont il usait autrefois. Puis elle arrangea ses cheveux devant le miroir à barbe de son hôte, avec un soin minutieux et grave. Ses bras blancs recourbés sur sa tête, elle prononçait quelques paroles, à longs intervalles.

" Vous, vous avez été riche.

— Qu'est-ce qui te le fait croire?

— Je ne sais pas. Mais vous avez été riche et vous êtes un aristocrate, j'en suis sûre. "

Elle tira de sa poche une petite Sainte-Vierge en argent dans une chapelle ronde d'ivoire, un morceau de sucre, du fil, des ciseaux, un briquet, deux ou trois étuis et, après avoir fait le choix de ce qui lui était nécessaire, elle se mit à raccommoder sa jupe, qui avait été déchirée en plusieurs endroits.

" Pour votre sûreté, mon enfant, mettez ceci à votre coiffe! lui dit Brotteaux, en lui donnant une cocarde tricolore.

— Je le ferai volontiers, monsieur, lui répondit-elle; mais ce sera pour l'amour de vous et non pour l'amour de la nation. "

Quand elle se fut habillée et parée de son mieux, tenant sa jupe à deux mains, elle fit la révérence comme elle l'avait appris au village et dit à Brotteaux :

" Monsieur, je suis votre très humble servante. "

Elle était prête à obliger son bienfaiteur de toutes les manières, mais elle trouvait convenable qu'il ne demandât rien et qu'elle n'offrît rien : il lui semblait que c'était gentil de se quitter de la sorte, et selon les bienséances.

Brotteaux lui mit dans la main quelques assignats pour qu'elle prît le coche de Palaiseau. C'était la moitié de sa fortune, et, bien qu'il fût connu pour ses prodigalités envers les femmes, il n'avait encore fait avec aucune un si égal partage de ses biens.

Elle lui demanda son nom.

" Je me nomme Maurice. "

Il lui ouvrit à regret la porte de la mansarde :

" Adieu, Athénaïs. "

Elle l'embrassa.

" Monsieur Maurice, quand vous penserez à moi, appelez-moi Marthe : c'est le nom de mon baptême, le nom dont on m'appelait au village.... Adieu et merci.... Bien votre servante, monsieur Maurice. "

XV

Il fallait vider les prisons qui regorgeaient; il fallait juger, juger sans repos ni trêve. Assis contre les murailles tapissées de faisceaux et de bonnets rouges, comme leurs pareils sur les fleurs de lis, les juges gardaient la gravité, la tranquillité terrible de leurs prédécesseurs royaux. L'accusateur public et ses substituts, épuisés de fatigue, brûlés d'insomnie et d'eau-de-vie, ne secouaient leur accablement que par un violent effort; et leur mauvaise santé les rendait tragiques. Les jurés, divers d'origine et de caractère, les uns instruits, les autres ignares, lâches ou généreux, doux ou violents, hypocrites ou sincères, mais qui tous, dans le danger de la patrie et de la République, sentaient ou feignaient de sentir les mêmes angoisses, de brûler des mêmes flammes, tous atroces de vertu ou de peur, ne formaient qu'un seul être, une seule tête sourde, irritée, une seule âme, une bête mystique, qui, par l'exercice naturel de ses fonctions, produisait abondamment la mort. Bienveillants ou cruels par sensibilité, secoués soudain par un brusque mouvement de pitié, ils acquittaient avec des larmes un accusé qu'ils eussent, une heure auparavant, condamné avec des sarcasmes. A mesure qu'ils avançaient dans leur tâche, ils suivaient plus impétueusement les impulsions de leur cœur.

Ils jugeaient dans la fièvre et dans la somnolence que leur donnait l'excès du travail, sous les excitations du dehors et les ordres du souverain, sous les menaces des sans-culottes et des tricoteuses pressés dans les tribunes et dans l'enceinte publique, d'après des témoignages forcenés, sur des réquisitoires frénétiques, dans un air empesté, qui appesantissait les cerveaux, faisait bourdonner les oreilles et battre les tempes et mettait un voile de sang sur les yeux. Des bruits vagues couraient dans le public sur des jurés corrompus par l'or des accusés. Mais à ces rumeurs le jury tout entier répondait par des protestations indignées et des condamnations impitoyables. Enfin, c'étaient des hommes, ni pires ni meilleurs que les autres. L'innocence, le plus souvent, est un bonheur et non pas une vertu : quiconque eût accepté de se mettre à leur place eût agi comme eux et accompli d'une âme médiocre ces tâches épouvantables.

Antoinette, tant attendue, vint enfin s'asseoir en robe noire dans le fauteuil fatal, au milieu d'un tel concert de haine que seule la certitude de l'issue qu'aurait le jugement en fit respecter les formes. Aux questions mortelles l'accusée répondit tantôt avec l'instinct de la conservation, tantôt avec sa hauteur accoutumée, et, une fois, grâce à l'infamie d'un de ses accusateurs, avec la majesté d'une mère. L'outrage et la calomnie seuls étaient permis aux témoins; la défense fut glacée d'effroi. Le Tribunal, se contraignant à juger dans les règles, attendait que tout cela fût fini pour jeter la tête de l'Autrichienne à l'Europe.

Trois jours après l'exécution de Marie-Antoinette, Gamelin fut appelé auprès du citoyen Fortuné Trubert, qui agonisait à trente pas du bureau militaire où il avait épuisé sa vie, sur un lit de sangle, dans la cellule de quelque Barnabite expulsé. Sa tête livide creusait l'oreiller. Ses yeux, qui ne voyaient déjà plus, tournèrent leurs prunelles vitreuses du côté d'Évariste; sa main desséchée saisit la main de l'ami et la pressa avec une force inattendue. Il avait eu trois vomissements de sang en deux jours. Il essaya de parler; sa voix, d'abord voilée et faible comme un murmure, s'enfla, grossit :

" Wattignies! Wattignies!... Jourdan a forcé l'ennemi dans son camp... débloqué Maubeuge.... Nous avons repris Marchiennes. Ça ira... ça ira.... "

Et il sourit.

Ce n'étaient pas des songes de malade; c'était une vue claire de la réalité, qui illuminait alors ce cerveau sur lequel descendaient les ténèbres éternelles. Désormais l'invasion semblait arrêtée : les généraux, terrorisés, s'apercevaient qu'ils n'avaient pas mieux à faire que de vaincre. Ce que les enrôlements volontaires n'avaient point apporté, une armée nombreuse et disciplinée, la réquisition le donnait. Encore un effort, et la République serait sauvée.

Après une demi-heure d'anéantissement, le visage de Fortuné Trubert, creusé par la mort, se ranima, ses mains se soulevèrent.

Il montra du doigt à son ami le seul meuble qu'il y eût dans la chambre, un petit secrétaire de noyer.

Et de sa voix haletante et faible, que conduisit un esprit lucide :

" Mon ami, comme Eudamidas, je te lègue mes dettes : trois cent vingt livres dont tu trouveras le compte... dans ce cahier rouge.... Adieu, Gamelin. Ne t'endors pas. Veille à la défense de la République. Ça ira. "

L'ombre de la nuit descendait dans la cellule. On entendit le mourant pousser un souffle embarrassé, et ses mains qui grattaient le drap.

A minuit, il prononça des mots sans suite :

" Encore du salpêtre.... Faites livrer les fusils.... La santé? très bonne.... Descendez ces cloches.... "

Il expira à 5 heures du matin.

Par ordre de la section, son corps fut exposé dans la nef de la ci-devant église des Barnabites, au pied de l'autel de la Patrie, sur un lit de camp, le corps recouvert d'un drapeau tricolore et le front ceint d'une couronne de chêne.

Douze vieillards vêtus de la toge latine, une palme à la main, douze jeunes filles, traînant de longs voiles et portant des fleurs, entouraient le lit funèbre. Aux pieds du mort, deux enfants tenaient chacun une torche renversée. Évariste reconnut en l'un d'eux la fille de sa concierge, Joséphine, qui, par sa gravité enfantine et sa beauté charmante, lui rappela ces génies de l'amour et de la mort, que les Romains sculptaient sur leurs sarcophages.

Le cortège se rendit au cimetière Saint-André-des-Arts aux chants de *La Marseillaise* et du *Ça ira*.

En mettant le baiser d'adieu sur le front de Fortuné Trubert, Évariste pleura. Il pleura sur lui-même, enviant celui qui se reposait, sa tâche accomplie.

Rentré chez lui, il reçut avis qu'il était nommé membre du Conseil général de la Commune. Candidat depuis quatre mois, il avait été élu sans concurrent, après plusieurs scrutins, par une trentaine de suffrages. On ne votait plus : les sections étaient désertes; riches et pauvres ne cherchaient qu'à se soustraire aux charges publiques. Les plus grands événements n'excitaient plus ni enthousiasme ni curiosité; on ne lisait plus les journaux, Évariste doutait si, sur les sept cent mille habitants de la capitale, trois ou quatre mille seulement avaient encore l'âme républicaine.

Ce jour-là, les Vingt et Un comparurent.

Innocents ou coupables des malheurs et des crimes de la République, vains, imprudents, ambitieux et légers, à la fois modérés et violents, faibles dans la terreur comme dans la clémence, prompts à déclarer la guerre, lents à la conduire, traînés au Tribunal sur l'exemple qu'ils avaient donné, ils n'étaient pas moins la jeunesse éclatante de la Révolution; ils en avaient été le charme et la gloire. Ce juge, qui va les interroger avec une partialité savante; ce blême accusateur, qui, là, devant sa petite table, prépare leur mort et leur déshonneur; ces jurés, qui voudront tout à l'heure étouffer leur défense; ce public des tribunes, qui les couvre d'invectives et de huées, juge, jurés, peuple, ont naguère applaudi leur éloquence, célébré leurs talents, leurs vertus. Mais ils ne se souviennent plus.

Évariste avait fait jadis son dieu de Vergniaud, son oracle de Brissot. Il ne se rappelait plus, et, s'il restait dans sa mémoire quelque vestige de son antique admiration, c'était pour concevoir que ces monstres avaient séduit les meilleurs citoyens.

En rentrant, après l'audience, dans sa maison, Gamelin entendit des cris déchirants. C'était la petite Joséphine que sa mère fouettait pour avoir joué sur la place avec des polissons et sali la belle robe blanche qu'on lui avait mise pour la pompe funèbre du citoyen Trubert.

XVI

Après avoir, durant trois mois, sacrifié chaque jour à la patrie des victimes illustres ou obscures, Évariste eut un procès à lui; d'un accusé il fit son accusé.

Depuis qu'il siégeait au Tribunal, il épiait avidement, dans la foule des prévenus qui passaient sous ses yeux, le séducteur d'Élodie, dont il s'était fait, dans son imagination laborieuse, une idée dont quelques traits étaient précis. Il le concevait jeune, beau, insolent, et se faisait une certitude qu'il avait émigré en Angleterre. Il crut le découvrir en un jeune émigré nommé Maubel, qui, de retour en France et dénoncé par son hôte, avait été arrêté dans une auberge de Passy et dont le parquet de Fouquier-Tinville instruisait l'affaire avec mille autres. On avait saisi sur lui des lettres que l'accusation considérait comme les preuves d'un complot ourdi par Maubel et les agents de Pitt, mais qui n'étaient en fait que des lettres écrites à l'émigré par des banquiers de Londres chez qui il avait déposé des fonds. Maubel, qui était jeune et beau, paraissait surtout occupé de galanteries. On trouvait dans son carnet trace de relations avec l'Espagne, alors en guerre avec la France; ces lettres, à la vérité, étaient d'ordre intime, et, si le parquet ne rendit pas une ordonnance de non-lieu, ce fut en vertu de ce principe que la justice ne doit jamais se hâter de relâcher un prisonnier.

Gamelin eut communication du premier interrogatoire

subi par Maubel en chambre du conseil et il fut frappé du caractère du jeune ci-devant, qu'il se figurait conforme à celui qu'il attribuait à l'homme qui avait abusé de la confiance d'Élodie. Dès lors, enfermé pendant de longues heures dans le cabinet du greffier, il étudia le dossier avec ardeur. Ses soupçons s'accrurent étrangement quand il trouva dans un calepin déjà ancien de l'émigré l'adresse de l'*Amour peintre*, jointe, il est vrai, à celle du *Singe Vert*, du *Portrait de la* ci-devant *Dauphine* et de plusieurs autres magasins d'estampes et de tableaux. Mais, quand il eut appris qu'on avait recueilli dans ce même calepin quelques pétales d'un œillet rouge, recouverts avec soin d'un papier de soie, songeant que l'œillet rouge était la fleur préférée d'Élodie qui la cultivait sur sa fenêtre, la portait dans ses cheveux, la donnait (il le savait) en témoignage d'amour, Évariste ne douta plus.

Alors, s'étant fait une certitude, il résolut d'interroger Élodie, en lui cachant toutefois les circonstances qui lui avaient fait découvrir le criminel.

Comme il montait l'escalier de sa maison, il sentit dès les paliers inférieurs une entêtante odeur de fruit et trouva dans l'atelier Élodie, qui aidait la citoyenne Gamelin à faire de la confiture de coings. Tandis que la vieille ménagère, allumant le fourneau, méditait en son esprit les moyens d'épargner le charbon et la cassonade sans nuire à la qualité de la confiture, la citoyenne Blaise, sur sa chaise de paille, ceinte d'un tablier de toile bise, des fruits d'or plein son giron, pelait les coings et les jetait par quartiers dans une bassine de cuivre. Les barbes de sa coiffe étaient rejetées en arrière, ses mèches noires se tordaient sur son front moite; il émanait d'elle un charme domestique et une grâce familière qui inspiraient les douces pensées et la tranquille volupté.

Elle leva, sans bouger, sur son amant son beau regard d'or fondu et dit :

« Voyez, Évariste, nous travaillons pour vous. Vous mangerez, tout l'hiver, d'une délicieuse gelée de coings qui vous affermira l'estomac et vous rendra le cœur gai. »

Mais Gamelin, s'approchant d'elle, lui prononça ce nom à l'oreille :

« Jacques Maubel.... »

A ce moment, le savetier Combalot vint montrer son nez rouge par la porte entrebâillée. Il apportait, avec des souliers, auxquels il avait remis des talons, la note de ses ressemelages.

De peur de passer pour un mauvais citoyen, il faisait usage du nouveau calendrier. La citoyenne Gamelin, qui aimait à voir clair dans ses comptes, se perdait dans les fructidor et les vendémiaire.

Elle soupira :

« Jésus ! ils veulent tout changer, les jours, les mois, les saisons, le soleil et la lune ! Seigneur Dieu, monsieur Combalot, qu'est-ce que c'est que cette paire de galoches du 8 vendémiaire ?

— Citoyenne, jetez les yeux sur votre calendrier pour vous rendre compte. »

Elle le décrocha, y jeta les yeux, et, les détournant aussitôt :

« Il n'a pas l'air chrétien ! fit-elle, épouvantée.

— Non seulement cela, citoyenne, dit le savetier, mais nous n'avons plus que trois dimanches au lieu de quatre. Et ce n'est pas tout : il va falloir changer notre manière de compter. Il n'y aura plus de liards ni de deniers, tout sera réglé sur l'eau distillée. »

A ces paroles la citoyenne Gamelin, les lèvres tremblantes, leva les yeux au plafond et soupira :

« Ils en font trop ! »

Et, tandis qu'elle se lamentait, semblable aux saintes femmes des calvaires rustiques, un fumeron, allumé en son absence dans la braise, remplissait l'atelier d'une vapeur infecte qui, jointe à l'odeur entêtante des coings, rendait l'air irrespirable.

Élodie se plaignit que la gorge lui grattait, et demanda qu'on ouvrît la fenêtre. Mais, dès que le citoyen savetier eut pris congé et que la citoyenne Gamelin eut regagné son fourneau, Évariste répéta ce nom à l'oreille de la citoyenne Blaise :

« Jacques Maubel. »

Elle le regarda avec un peu de surprise, et, très tranquillement, sans cesser de couper un coing en quartiers :

« Et bien?... Jacques Maubel?...

— C'est lui!

— Qui? lui?

— Tu lui as donné un œillet rouge. »

Elle déclara ne pas comprendre, et lui demanda qu'il s'expliquât.

« Cet aristocrate! cet émigré! cet infâme!... »

Elle haussa les épaules, et nia avec beaucoup de naturel avoir jamais connu un Jacques Maubel.

Et vraiment elle n'en avait jamais connu.

Elle nia avoir jamais donné d'œillets rouges à personne qu'à Évariste; mais peut-être, sur ce point, n'avait-elle pas très bonne mémoire.

Il connaissait mal les femmes, et n'avait pas pénétré bien profondément le caractère d'Élodie; pourtant il la pensait très capable de feindre et de tromper un plus habile que lui.

« Pourquoi nier? dit-il. Je sais. »

Elle affirma de nouveau n'avoir connu aucun Maubel. Et, ayant fini de peler ses coings, elle demanda de l'eau parce que ses doigts poissaient.

Gamelin lui apporta une cuvette.

Et, en se lavant les mains, elle renouvela ses dénégations.

Il répéta encore qu'il savait, et, cette fois, elle garda le silence.

Elle ne voyait pas où tendait la question de son amant et était à mille lieues de soupçonner que ce Maubel, dont elle n'avait jamais entendu parler, dût comparaître devant le Tribunal révolutionnaire; elle ne comprenait rien aux soupçons dont on l'obsédait, mais elle les savait mal fondés. C'est pourquoi, n'ayant guère d'espoir de les dissiper, elle n'en avait guère envie non plus. Elle cessa de se défendre d'avoir connu un Maubel, préférant laisser le jaloux s'égarer sur une fausse piste, quand, d'un moment à l'autre, le moindre incident pouvait le mettre sur la véritable voie. Son petit clerc d'autrefois, devenu un joli dragon patriote, était brouillé maintenant avec sa maîtresse aristocrate. Quand il rencontrait Élodie, dans la rue, il la regardait d'un œil qui semblait dire : " Allons! la belle; je sens bien que je vais vous pardonner de vous avoir trahie, et que je suis tout près de vous rendre mon estime. " Elle ne fit donc plus effort pour guérir ce qu'elle appelait les lubies de son ami; Gamelin garda la conviction que Jacques Maubel était le corrupteur d'Élodie.

Les jours qui suivirent, le Tribunal s'occupa sans relâche d'anéantir le fédéralisme, qui, comme une hydre, avait menacé de dévorer la liberté. Ce furent des jours chargés; et les jurés, épuisés de fatigue, expédièrent le plus rapidement possible la femme Roland, inspiratrice ou complice des crimes de la faction brissotine.

Cependant Gamelin passait chaque matin au parquet pour presser l'affaire Maubel. Des pièces importantes étaient à Bordeaux : il obtint qu'un commissaire les irait chercher en poste. Elles arrivèrent enfin.

Le substitut de l'accusateur public les lut, fit la grimace et dit à Évariste :

" Elles ne sont pas fameuses, les pièces! Il n'y a rien

là-dedans! des fadaises!... S'il était seulement certain que ce ci-devant comte de Maubel a émigré!... "

Enfin Gamelin réussit. Le jeune Maubel reçut son acte d'accusation et fut traduit devant le Tribunal révolutionnaire le 19 brumaire.

Dès l'ouverture de l'audience, le président montra le visage sombre et terrible qu'il avait soin de prendre pour conduire les affaires mal instruites. Le substitut de l'accusateur se caressait le menton des barbes de sa plume et affectait la sérénité d'une conscience pure. Le greffier lut l'acte d'accusation : on n'en avait pas encore entendu de si creux.

Le président demanda à l'accusé s'il n'avait pas eu connaissance des lois rendues contre les émigrés.

" Je les ai connues et observées, répondit Maubel, et j'ai quitté la France muni de passeports en règle. "

Sur les raisons de son voyage en Angleterre et de son retour en France il s'expliqua d'une manière satisfaisante. Sa figure était agréable, avec un air de franchise et de fierté qui plaisait. Les femmes des tribunes le regardaient d'un œil favorable. L'accusation prétendait qu'il avait fait un séjour en Espagne dans le moment où déjà cette nation était en guerre avec la France : il affirma n'avoir pas quitté Bayonne à cette époque. Un point seul restait obscur. Parmi les papiers qu'il avait jetés dans sa cheminée, lors de son arrestation, et dont on n'avait retrouvé que des bribes, on lisait des mots espagnols et le nom de " Nieves ".

Jacques Maubel refusa de donner à ce sujet les explications qui lui étaient demandées. Et, quand le président lui dit que l'intérêt de l'accusé était de s'expliquer, il répondit qu'on ne doit pas toujours suivre son intérêt.

Gamelin ne songeait à convaincre Maubel que d'un crime : par trois fois il pressa le président de demander à l'accusé s'il pouvait s'expliquer sur l'œillet dont il gardait si précieusement dans son portefeuille les pétales desséchés.

Maubel répondit qu'il ne se croyait pas obligé de répondre à une question qui n'intéressait pas la justice, puisqu'on n'avait pas trouvé de billet caché dans cette fleur.

Le jury se retira dans la salle des délibérations, favorablement prévenu en faveur de ce jeune homme dont l'affaire, obscure, semblait surtout cacher des mystères amoureux. Cette fois, les bons, les purs eux-mêmes eussent volontiers acquitté. L'un d'eux, un ci-devant, qui avait donné des gages à la Révolution, dit :

« Est-ce sa naissance qu'on lui reproche? Moi aussi, j'ai eu le malheur de naître dans l'aristocratie.

— Oui, mais tu en es sorti, répliqua Gamelin, et il y est resté. »

Et il parla avec une telle véhémence contre ce conspirateur, cet émissaire de Pitt, ce complice de Cobourg, qui était allé par-delà les monts et par-delà les mers susciter des ennemis à la liberté, il demanda si ardemment la condamnation du traître, qu'il réveilla l'humeur toujours inquiète, la vieille sévérité des jurés patriotes.

L'un d'eux, cyniquement, lui dit :

« Il est des services qu'on ne peut se refuser entre collègues. »

Le verdict de mort fut rendu à une voix de majorité.

Le condamné entendit sa sentence avec une tranquillité souriante. Ses regards, qu'il promenait paisiblement sur la salle, exprimèrent, en rencontrant le visage de Gamelin, un indicible mépris.

Personne n'applaudit la sentence.

Jacques Maubel, reconduit à la Conciergerie, écrivit

une lettre en attendant l'exécution qui devait se faire le soir même, aux flambeaux :

Ma chère sœur, le Tribunal m'envoie à l'échafaud, me donnant la seule joie que je pouvais ressentir depuis la mort de ma Nieves adorée. Ils m'ont pris le seul bien qui me restait d'elle, une fleur de grenadier, qu'ils appelaient, je ne sais pourquoi, un œillet.

J'aimais les arts : à Paris, dans les temps heureux, j'ai recueilli des peintures et des gravures qui sont maintenant en lieu sûr et qu'on te remettra dès qu'il sera possible. Je te prie, chère sœur, de les garder en mémoire de moi.

Il se coupa une mèche de cheveux, la mit dans la lettre, qu'il plia, et écrivit la suscription :

A la citoyenne Clémence Dezeimeries, née Maubel.
La Réole.

Il donna tout ce qu'il avait d'argent sur lui au porte-clefs, en le priant de faire parvenir cette lettre, demanda une bouteille de vin et but à petits coups en attendant la charrette....

Après souper, Gamelin courut à l'*Amour peintre* et bondit dans la chambre bleue où chaque nuit l'attendait Élodie.

“ Tu es vengée, lui dit-il. Jacques Maubel n'est plus. La charrette qui le conduisait à la mort a passé sous tes fenêtres, entourée de flambeaux. ”

Elle comprit :

“ Misérable ! C'est toi qui l'as tué, et ce n'était pas mon amant. Je ne le connaissais pas... je ne l'ai jamais vu.... Quel homme était-ce? Il était jeune, aimable..., innocent. Et tu l'as tué, misérable ! misérable ! ”

Elle tomba évanouie. Mais, dans les ombres de cette mort légère, elle se sentait inondée en même temps d'horreur et de volupté. Elle se ranima à demi; ses lourdes paupières découvraient le blanc de ses yeux, sa gorge se gonflait, ses mains battantes cherchaient son amant. Elle le pressa dans ses bras à l'étouffer, lui enfonça les ongles dans la chair et lui donna, de ses lèvres déchirées, le plus muet, le plus sourd, le plus long, le plus douloureux et le plus délicieux des baisers.

Elle l'aimait de toute sa chair, et, plus il lui apparaissait terrible, cruel, atroce, plus elle le voyait couvert du sang de ses victimes, plus elle avait faim et soif de lui.

XVII

Le 24 frimaire, à dix heures du matin, sous un ciel vif et rose, qui fondait les glaces de la nuit, les citoyens Guénot et Delourmel, délégués du Comité de sûreté générale, se rendirent aux Barnabites et se firent conduire au Comité de surveillance de la section, dans la salle capitulaire, où se trouvait pour lors le citoyen Beauvisage, qui fourrait des bûches dans la cheminée. Mais ils ne le virent point d'abord, à cause de sa stature brève et ramassée.

De la voix fêlée des bossus, le citoyen Beauvisage pria les délégués de s'asseoir et se mit tout à leur service.

Guénot lui demanda s'il connaissait un ci-devant des Ilettes, demeurant près du Pont-Neuf.

« C'est, ajouta-t-il, un individu que je suis chargé d'arrêter. »

Et il exhiba l'ordre du Comité de sûreté générale.

Beauvisage, ayant quelque temps cherché dans sa mémoire, répondit qu'il ne connaissait point d'individu nommé des Ilettes, que le suspect ainsi désigné pouvait ne point habiter la section, certaines parties du Muséum, de l'Unité, de Marat-et-Marseille se trouvant aussi à proximité du Pont-Neuf; que, s'il habitait la section, ce devait être sous un nom autre que celui que portait l'ordre du Comité; que néanmoins on ne tarderait pas à le découvrir.

« Ne perdons point de temps! dit Guénot. Il fut signalé à notre vigilance par une lettre d'une de ses complices qui a été interceptée et remise au Comité, il y a déjà quinze jours, et dont le citoyen Lacroix a pris connaissance hier soir seulement. Nous sommes débordés; les dénonciations nous arrivent de toutes parts, en telle abondance qu'on ne sait à qui entendre.

— Les dénonciations, répliqua fièrement Beauvisage, affluent aussi au Comité de vigilance de la section. Les uns apportent leurs révélations par civisme; les autres, par l'appât d'un billet de cent sols. Beaucoup d'enfants dénoncent leurs parents, dont ils convoitent l'héritage.

— Cette lettre, reprit Guénot, émane d'une ci-devant Rochemaure, femme galante, chez qui l'on jouait le biribi, et porte en suscription le nom d'un citoyen Rauline; mais elle est réellement adressée à un émigré au service de Pitt. Je l'ai prise sur moi pour vous en communiquer ce qui concerne l'individu des Ilettes. ”

Il tira la lettre de sa poche.

“ Elle débute par de longues indications sur les membres de la Convention qu'on pourrait, au dire de cette femme, gagner par l'offre d'une somme d'argent ou la promesse d'une haute fonction dans un gouvernement nouveau, plus stable que celui-ci. Ensuite se lit ce passage :

Je sors de chez M. des Ilettes, qui habite, près du Pont-Neuf, un grenier où il faut être chat ou diable pour le trouver; il est réduit pour vivre à fabriquer des polichinelles. Il a du jugement : c'est pourquoi je vous transmets, monsieur, l'essentiel de sa conversation. Il ne croit pas que l'état de choses actuel durera longtemps. Il n'en prévoit pas la fin dans la victoire de la coalition; et l'événement semble lui donner raison; car vous savez, monsieur, que depuis quelque temps les nouvelles de la guerre sont mauvaises. Il croirait plutôt à la révolte des petites gens et des femmes du peuple, encore profondément attachées à leur religion. Il estime que l'effroi général que cause le Tribunal révolutionnaire réunira bientôt la France entière contre les Jacobins. “ Ce Tri-

bunal, a-t-il dit plaisamment, qui juge la reine de France et une porteuse de pain, ressemble à ce Guillaume Shakespeare, si admiré des Anglais, etc.... " Il ne croit pas impossible que Robespierre épouse Madame Royale et se fasse nommer protecteur du royaume.

Je vous serais reconnaissant, monsieur, de me faire tenir les sommes qui me sont dues, c'est-à-dire mille livres sterling, par la voie que vous avez coutume d'employer, mais gardez-vous bien d'écrire à M. Morhardt : il vient d'être arrêté, mis en prison, etc., etc.

— Le sieur des Ilettes fabrique des polichinelles, dit Beauvisage, voilà un indice précieux... bien qu'il y ait beaucoup de petites industries de ce genre dans la section.

— Cela me fait penser, dit Deloumel, que j'ai promis de rapporter une poupée à ma fille Nathalie, la cadette, qui est malade d'une fièvre scarlatine. Les taches ont paru hier. Cette fièvre n'est pas bien à craindre; mais elle exige des soins. Et Nathalie, très avancée pour son âge, d'une intelligence très développée, est d'une santé délicate.

— Moi, dit Guénot, je n'ai qu'un garçon. Il joue au cerceau avec des cercles de tonneau et fabrique de petites montgolfières en soufflant dans des sacs.

— Bien souvent, fit observer Beauvisage, c'est avec des objets qui ne sont pas des jouets que les enfants jouent le mieux. Mon neveu Émile, qui est un bambin de sept ans, très intelligent, s'amuse toute la journée avec de petits carrés de bois, dont il fait des constructions.... En usez-vous?... "

Et Beauvisage tendit sa tabatière ouverte aux deux délégués.

" Maintenant il faut pincer notre gredin, dit Delourmel, qui portait de longues moustaches et roulait de grands yeux. Je me sens d'appétit, ce matin, à manger de la fressure d'aristocrate, arrosée d'un verre de vin blanc. "

Beauvisage proposa aux délégués d'aller trouver dans sa boutique de la place Dauphine son collègue Dupont aîné, qui connaissait sûrement l'individu des Ilettes.

Ils cheminaient dans l'air vif, suivis de quatre grenadiers de la section.

" Avez-vous vu jouer *Le Jugement dernier des Rois?* demanda Deloumel à ses compagnons; la pièce mérite d'être vue. L'auteur y montre tous les rois de l'Europe réfugiés dans une île déserte, au pied d'un volcan qui les engloutit. C'est un ouvrage patriotique. "

Delourmel avisa, au coin de la rue du Harlay, une petite voiture, brillante comme une chapelle, que poussait une vieille qui portait par-dessus sa coiffe un chapeau de toile cirée.

" Qu'est-ce que vend cette vieille? " demanda-t-il.

La vieille répondit elle-même :

" Voyez, messieurs, faites votre choix. Je tiens chapelets et rosaires, croix, images saint Antoine, saints suaires, mouchoirs de sainte Véronique, *Ecce homo*, *Agnus Dei*, cors et bagues de saint Hubert, et tous objets de dévotion.

— C'est l'arsenal du fanatisme! " s'écria Delourmel.

Et il procéda à l'interrogatoire sommaire de la colporteuse, qui répondait à toutes les questions :

" Mon fils, il y a quarante ans que je vends des objets de dévotion. "

Un délégué du Comité de sûreté générale, avisant un habit bleu qui passait, lui enjoignit de conduire à la Conciergerie la vieille femme étonnée.

Le citoyen Beauvisage fit observer à Delourmel que c'eût été plutôt au Comité de surveillance à arrêter cette marchande et à la conduire à la section; que d'ailleurs on ne savait plus quelle conduite tenir à l'endroit du ci-devant culte, pour agir selon les vues du gouvernement, et s'il fallait ou tout permettre ou tout interdire.

En approchant de la boutique du menuisier, les délégués et le commissaire entendirent des clameurs irritées, mêlées aux grincements de la scie et aux ronflements du rabot. Une querelle s'était élevée entre le menuisier Dupont aîné et son voisin le portier Remacle à cause de la citoyenne Remacle, qu'un attrait invincible ramenait sans cesse au fond de la menuiserie d'où elle revenait à la loge couverte de copeaux et de sciure de bois. Le portier offensé donna un coup de pied à Mouton, le chien du menuisier, au moment même où sa propre fille, la petite Joséphine, tenait l'animal tendrement embrassé. Joséphine, indignée, se répandit en imprécations contre son père; le menuisier s'écria d'une voix irritée :

" Misérable! je te défends de battre mon chien.

— Et moi, répliqua le portier en levant son balai, je te défends de.... "

Il n'acheva pas : la varlope du menuisier lui avait effleuré la tête.

Du plus loin qu'il aperçut le citoyen Beauvisage accompagné des délégués, il courut à lui et lui dit :

" Citoyen commissaire, tu es témoin que ce scélérat vient de m'assassiner. "

Le citoyen Beauvisage, coiffé du bonnet rouge, insigne de ses fonctions, étendit ses longs bras dans une attitude pacificatrice, et, s'adressant au portier et au menuisier :

" Cent sols, dit-il, à celui de vous qui nous indiquera où se trouve un suspect, recherché par le Comité de sûreté générale, le ci-devant des Ilettes, fabricant de polichinelles."

Tous deux, le portier et le menuisier, désignèrent ensemble le logis de Brotteaux, ne se disputant plus que pour l'assignat de cent sols promis au délateur.

Deloumel, Guénot et Beauvisage, suivis des quatre grenadiers, du portier Remacle, du menuisier Dupont, et d'une douzaine de petits polissons du quartier, enfilèrent l'escalier ébranlé sur leurs pas, puis montèrent par l'échelle de meunier.

Brotteaux, dans son grenier, découpait des pantins tandis que le Père Longuemare, en face de lui, assemblait par des fils leurs membres épars, et il souriait en voyant ainsi naître sous ses doigts le rythme et l'harmonie.

Au bruit des crosses sur le palier, le religieux tressaillit de tous ses membres, non qu'il eût moins de courage que Brotteaux qui demeurait impassible, mais le respect humain ne l'avait pas habitué à se composer un maintien. Brotteaux, aux questions du citoyen Delourmel, comprit d'où venait le coup et s'aperçut un peu tard qu'on a tort de se confier aux femmes. Invité à suivre le citoyen commissaire, il prit son Lucrèce et ses trois chemises.

« Le citoyen, dit-il, montrant le Père Longuemare, est un aide que j'ai pris pour fabriquer mes pantins. Il est domicilié ici. »

Mais le religieux, n'ayant pu présenter un certificat de civisme, fut mis avec Brotteaux en état d'arrestation.

Quand le cortège passa devant la loge du concierge, la citoyenne Remacle, appuyée sur son balai, regarda son locataire de l'air de la vertu qui voit le crime aux mains de la loi. La petite Joséphine, dédaigneuse et belle, retint par son collier Mouton, qui voulait caresser l'ami qui lui avait donné du sucre. Une foule de curieux emplissait la place de Thionville.

Brotteaux, au pied de l'escalier, se rencontra avec une jeune paysanne qui se disposait à monter les degrés. Elle portait sous son bras un panier plein d'œufs et tenait à la main une galette enveloppée dans un linge. C'était Athénaïs, qui venait de Palaiseau présenter à son sauveur un témoignage de sa reconnaissance. Quand elle s'aperçut que des magistrats et quatre grenadiers emmenaient « monsieur Maurice », elle demeura stupide, demanda si c'était vrai, s'approcha du commissaire, et lui dit doucement :

« Vous ne l'emmenez pas? ce n'est pas possible.... Mais vous ne le connaissez pas! Il est bon comme le bon Dieu. »

Le citoyen Delourmel la repoussa et fit signe aux grenadiers d'avancer. Alors Athénaïs vomit les plus sales injures, les invectives les plus obscènes sur les magistrats et les grenadiers, qui croyaient sentir se vider sur leurs têtes toutes les cuvettes du Palais-Royal et de la rue Fromenteau. Puis, d'une voix qui remplit la place de Thionville tout entière et fit frémir la foule des curieux, elle cria :

“ Vive le roi! vive le roi! ”

XVIII

La citoyenne Gamelin aimait le vieux Brotteaux, et le tenait pour l'homme tout ensemble le plus aimable et le plus considérable qu'elle eût jamais approché. Elle ne lui avait pas dit adieu quand on l'avait arrêté, parce qu'elle eût craint de braver les autorités et que dans son humble condition elle regardait la lâcheté comme un devoir. Mais elle en avait reçu un coup dont elle ne se relevait pas.

Elle ne pouvait manger et déplorait qu'elle eût perdu l'appétit au moment où elle avait enfin de quoi le satisfaire. Elle admirait encore son fils; mais elle n'osait plus penser aux épouvantables tâches qu'il accomplissait et se félicitait de n'être qu'une femme ignorante pour n'avoir pas à le juger.

La pauvre mère avait retrouvé un vieux chapelet au fond d'une malle; elle ne savait pas bien s'en servir, mais elle en occupait ses doigts tremblants. Après avoir vécu jusqu'à la vieillesse sans pratiquer sa religion, elle devenait pieuse : elle priait Dieu, toute la journée, au coin du feu, pour le salut de son enfant et de ce bon monsieur Brotteaux. Souvent Élodie l'allait voir : elles n'osaient se regarder et, l'une près de l'autre, parlaient au hasard de choses sans intérêt.

Un jour de pluviôse, quand la neige qui tombait à gros flocons obscurcissait le ciel et étouffait tous les bruits de la ville, la citoyenne Gamelin, qui était seule au logis, entendit frapper à la porte. Elle tressaillit : depuis plusieurs mois le moindre bruit la faisait frissonner. Elle ouvrit la porte. Un jeune homme de dix-huit ou vingt ans entra son chapeau sur la tête. Il était vêtu d'un carrick vert bouteille, dont les trois collets lui couvraient la poitrine et la taille. Il portait des bottes à revers de façon anglaise. Ses cheveux châtains tombaient en boucles sur ses épaules. Il s'avança au milieu de l'atelier, comme pour recevoir tout ce que le vitrage envoyait de lumière à travers la neige, et demeura quelques instants immobile et silencieux.

Enfin, tandis que la citoyenne Gamelin le regardait interdite :

“ Tu ne reconnais pas ta fille?... ”

La vieille dame joignit les mains :

“ Julie!... C'est toi.... Est-il Dieu possible!...

— Mais oui, c'est moi! Embrasse-moi, maman. ”

La citoyenne veuve Gamelin serra sa fille dans ses bras et mit une larme sur le collet du carrick. Puis elle reprit avec un accent d'inquiétude :

“ Toi, à Paris!...

— Ah! maman, que n'y suis-je venue seule!... Moi, on ne me reconnaîtra pas dans cet habit. ”

En effet, le carrick dissimulait ses formes et elle ne paraissait pas différente de beaucoup de très jeunes hommes qui, comme elle, portaient les cheveux longs, partagés en deux masses. Les traits de son visage, fins et charmants, mais hâlés, creusés par la fatigue, endurcis par les soucis, avaient une expression audacieuse et mâle. Elle était mince, avait les jambes longues et droites, ses gestes étaient aisés; seule sa voix claire eût pu la trahir.

Sa mère lui demanda si elle avait faim. Elle répondit qu'elle mangerait volontiers, et, quand on lui eut servi du pain, du vin et du jambon, elle se mit à manger, un coude sur la table, belle et gloutonne comme Cérès dans la cabane de la vieille Baubô.

Puis, le verre encore sur ses lèvres :

" Maman, sais-tu quand mon frère rentrera? Je suis venue lui parler. "

La bonne mère regarda sa fille avec embarras et ne répondit rien.

" Il faut que je le voie. Mon mari a été arrêté ce matin et conduit au Luxembourg. "

Elle donnait ce nom de " mari " à Fortuné de Chassagne, ci-devant noble et officier dans le régiment de Bouillé. Il l'avait aimée quand elle était ouvrière de modes rue des Lombards, enlevée et emmenée en Angleterre, où il avait émigré après le 10 août. C'était son amant; mais elle trouvait plus décent de le nommer son époux, devant sa mère. Et elle se disait que la misère les avait bien mariés et que c'était un sacrement que le malheur.

Ils avaient plus d'une fois passé la nuit tous deux sur un banc, dans les parcs de Londres, et ramassé des morceaux de pain sous les tables des tavernes, à Piccadilly.

Sa mère ne répondait point et la regardait d'un œil morne.

" Tu ne m'entends donc pas, maman? Le temps presse, il faut que je voie Évariste tout de suite : lui seul peut sauver Fortuné.

— Julie, répondit la mère, il vaut mieux que tu ne parles pas à ton frère.

— Comment? que dis-tu, ma mère?

— Je dis qu'il vaut mieux que tu ne parles pas à ton frère de monsieur de Chassagne.

— Maman, il le faut bien, pourtant!

— Mon enfant, Évariste ne pardonne pas à monsieur de Chassagne de t'avoir enlevée. Tu sais avec quelle colère il parlait de lui, quels noms il lui donnait.

— Oui, il l'appelait corrupteur, fit Julie avec un petit rire sifflant, en haussant les épaules.

— Mon enfant, il était mortellement offensé. Évariste a

pris sur lui de ne plus parler de monsieur de Chassagne. Et voilà deux ans qu'il n'a soufflé mot de lui ni de toi. Mais ses sentiments n'ont pas changé; tu le connais : il ne vous pardonne pas.

— Mais, maman, puisque Fortuné m'a épousée... à Londres.... "

La pauvre mère leva les yeux et les bras :

" Il suffit que Fortuné soit un aristocrate, un émigré, pour qu'Évariste le traite comme un ennemi.

— Enfin, réponds, maman. Penses-tu que, si je lui demande de faire auprès de l'accusateur public et du Comité de sûreté générale les démarches nécessaires pour sauver Fortuné, il n'y consentira pas?... Mais, maman, ce serait un monstre, s'il refusait!

— Mon enfant, ton frère est un honnête homme et un bon fils. Mais ne lui demande pas, oh! ne lui demande pas de s'intéresser à monsieur de Chassagne.... Écoute-moi, Julie. Il ne me confie point ses pensées et, sans doute, je ne serais pas capable de les comprendre... mais il est juge; il a des principes; il agit d'après sa conscience. Ne lui demande rien, Julie.

— Je vois que tu le connais maintenant. Tu sais qu'il est froid, insensible, que c'est un méchant, qu'il n'a que de l'ambition, de la vanité. Et tu l'as toujours préféré à moi. Quand nous vivions tous les trois ensemble, tu me le proposais pour modèle. Sa démarche compassée et sa parole grave t'imposaient : tu lui découvrais toutes les vertus. Et moi, tu me désapprouvais toujours, tu m'attribuais tous les vices, parce que j'étais franche, et que je grimpais aux arbres. Tu n'as jamais pu me souffrir. Tu n'aimais que lui. Tiens! je le hais, ton Évariste; c'est un hypocrite.

— Tais-toi, Julie : j'ai été une bonne mère pour toi comme pour lui. Je t'ai fait apprendre un état. Il n'a pas dépendu de moi que tu ne restes une honnête fille et que tu ne te maries selon ta condition. Je t'ai aimée tendrement et je t'aime encore. Je te pardonne et je t'aime. Mais ne dis pas de mal d'Évariste. C'est un bon fils. Il a toujours eu soin de moi. Quand tu m'as quittée, mon enfant, quand tu as abandonné ton état, ton magasin, pour aller vivre avec monsieur de Chassagne, que serais-je devenue sans lui? Je serais morte de misère et de faim.

— Ne parle pas ainsi, maman : tu sais bien que nous t'aurions entourée de soins, Fortuné et moi, si tu ne t'étais pas détournée de nous, excitée par Évariste. Laisse-moi tranquille! il est incapable d'une bonne action; c'est pour me rendre odieuse à tes yeux qu'il a affecté de prendre soin de toi. Lui! t'aimer?... Est-ce qu'il est capable d'aimer quelqu'un? Il n'a ni cœur ni esprit. Il n'a aucun talent, aucun. Pour peindre, il faut une nature plus tendre que la sienne. ”

Elle promena ses regards sur les toiles de l'atelier, qu'elle retrouvait telles qu'elle les avait quittées.

“ La voilà, son âme! il l'a mise sur ses toiles, froide et sombre. Son Oreste, son Oreste, l'œil bête, la bouche mauvaise et qui a l'air d'un empalé, c'est lui tout entier.... Enfin, maman, tu ne comprends donc rien? Je ne peux pas laisser Fortuné en prison. Tu les connais, les jacobins, les patriotes, toute la séquelle d'Évariste. Ils le feront mourir. Maman, ma chère maman, ma petite maman, je ne veux pas qu'on me le tue. Je l'aime! je l'aime! Il a été si bon pour moi, et nous avons été si malheureux ensemble! Tiens, ce carrick, c'est un habit à lui. Je n'avais plus de chemise. Un ami de Fortuné m'a prêté une veste et j'ai été chez un garçon limonadier à Douvres, pendant qu'il travaillait chez un coiffeur. Nous savions bien que, revenir en France, c'était risquer notre vie; mais on nous a demandé si nous voulions aller à Paris, pour y accomplir une mission importante.... Nous avons consenti; nous aurions accepté une mission pour le diable. On nous a payé notre voyage et donné une lettre de change pour un banquier de Paris. Nous avons trouvé les bureaux fermés : ce banquier est en prison et va être guillotiné. Nous n'avions pas un rouge liard. Toutes les personnes à qui nous étions affiliés et à qui nous pouvions nous adresser sont en fuite ou emprisonnées. Pas une porte où frapper. Nous couchions dans une écurie de la rue de la Femme-sans-tête. Un décrotteur charitable, qui y dormait sur la paille avec nous, prêta à mon amant une de ses boîtes, une brosse et un pot de cirage aux trois quarts vide. Fortuné, pendant quinze jours, a gagné sa vie et la mienne à cirer des souliers sur la place de Grève. Mais lundi un membre de la Commune mit le pied sur la boîte et lui fit cirer ses bottes. C'est un ancien boucher à qui Fortuné a donné autrefois un coup de pied dans le derrière pour avoir vendu de la viande à faux poids. Quand Fortuné releva la tête pour réclamer ses deux sous, le coquin le reconnut, l'appela aristocrate et le menaça de le faire arrêter. La foule s'amassa; elle se composait de braves gens et de quelques scélérats qui criaient : " A mort l'émigré! " et appelaient les gendarmes. A ce moment, j'apportais la soupe à Fortuné. Je l'ai vu conduire à la section, et enfermer dans l'église Saint-Jean. J'ai voulu l'embrasser : on me repoussa. J'ai passé la nuit comme un chien sur une marche de l'église.... On l'a conduit, ce matin.... "

Julie ne put achever; les sanglots l'étouffaient.

Elle jeta son chapeau sur le plancher et se mit à genoux aux pieds de sa mère :

" On l'a conduit, ce matin, dans la prison du Luxembourg. Maman, maman, aide-moi à le sauver; aie pitié de ta fille! "

Tout en pleurs, elle écarta son carrick et, pour se mieux faire reconnaître amante et fille, découvrit sa poitrine; et, prenant les mains de sa mère, elle les pressa sur ses seins palpitants.

« Ma fille chérie, ma Julie, ma Julie! » soupira la veuve Gamelin.

Et elle colla son visage humide de larmes sur les joues de la jeune femme.

Durant quelques instants, elles gardèrent le silence. La pauvre mère cherchait dans son esprit le moyen d'aider sa fille et Julie épiait le regard de ces yeux noyés de pleurs.

« Peut-être, songeait la mère d'Évariste, peut-être, si je lui parle, se laissera-t-il fléchir. Il est bon, il est tendre. Si la politique ne l'avait pas endurci, s'il n'avait pas subi l'influence des jacobins, il n'aurait point eu de ces sévérités qui m'effraient, parce que je ne les comprends pas. »

Elle prit dans ses deux mains la tête de Julie :

« Écoute, ma fille. Je parlerai à Évariste. Je le préparerai à te voir, à t'entendre. Ta vue pourrait l'irriter et je craindrais le premier mouvement.... Et puis, je le connais : cet habit le choquerait; il est sévère sur tout ce qui touche aux mœurs, aux convenances. Moi-même, j'ai été un peu surprise de voir ma Julie en garçon.

— Ah! maman, l'émigration et les affreux désordres du royaume ont rendu ces travestissements bien communs. On les prend pour exercer un métier, pour n'être point reconnu, pour faire concorder un passeport ou un certificat empruntés. J'ai vu à Londres le petit Girey habillé en fille et qui avait l'air d'une très jolie fille; et tu conviendras, maman, que ce travestissement est plus scabreux que le mien.

— Ma pauvre enfant, tu n'as pas besoin de te justifier à mes yeux, ni de cela ni d'autre chose. Je suis ta mère : tu seras toujours innocente pour moi. Je parlerai à Évariste, je dirai.... »

Elle s'interrompit. Elle sentait ce qu'était son fils; elle le sentait, mais elle ne voulait pas le croire, elle ne voulait pas le savoir.

« Il est bon. Il fera pour moi... pour toi ce que je lu demanderai. »

Et les deux femmes, infiniment lasses, se turent. Julie s'endormit la tête sur les genoux où elle avait reposé enfant. Cependant, son chapelet à la main, la mère douloureuse pleurait sur les maux qu'elle sentait venir silencieusement, dans le calme de ce jour de neige où tout se taisait, les pas, les roues, le ciel.

Tout à coup, avec une finesse d'ouïe que l'inquiétude avait aiguisée, elle entendit son fils qui montait l'escalier.

« Évariste!... dit-elle. Cache-toi. »

Et elle poussa sa fille dans sa chambre.

« Comment allez-vous aujourd'hui, ma bonne mère? »

Évariste accrocha son chapeau au portemanteau, changea son habit bleu contre une veste de travail et s'assit devant son chevalet. Depuis quelques jours il esquissait au fusain une Victoire déposant une couronne sur le front d'un soldat mort pour la patrie. Il eût traité ce sujet avec enthousiasme, mais le Tribunal dévorait toutes ses journées, prenait toute son âme, et sa main déshabituée du dessin se faisait lourde et paresseuse.

Il fredonna le *Ça ira*.

« Tu chantes, mon enfant, dit la citoyenne Gamelin; tu as le cœur gai.

— Nous devons nous réjouir, ma mère : il y a de bonnes nouvelles. La Vendée est écrasée. les Autrichiens défaits; l'armée du Rhin a forcé les lignes de Lautern et de Wissembourg. Le jour est proche où la République triomphante montrera sa clémence. Pourquoi faut-il que l'audace des conspirateurs grandisse à mesure que la République croît en force et que les traîtres s'étudient à frapper dans l'ombre la patrie, alors qu'elle foudroie les ennemis qui l'attaquent à découvert? »

La citoyenne Gamelin, en tricotant un bas, observait son fils par-dessus ses lunettes.

« Berzélius, ton vieux modèle, est venu réclamer les dix livres que tu lui devais : je les lui ai remises. La petite Joséphine a eu mal au ventre pour avoir mangé trop de confitures, que le menuisier lui avait données. Je lui ai fait de la tisane.... Desmahis est venu te voir; il a regretté de ne pas te trouver. Il voudrait graver un sujet de ta composition. Il te trouve un grand talent. Ce brave garçon a regardé tes esquisses et les a admirées.

— Quand la paix sera rétablie et la conspiration étouffée, dit le peintre, je reprendrai mon Oreste. Je n'ai pas l'habitude de me flatter; mais il y a là une tête digne de David. »

Il traça d'une ligne majestueuse le bras de sa Victoire.

« Elle tend des palmes, dit-il. Mais il serait plus beau que ses bras eux-mêmes fussent des palmes.

— Évariste!

— Maman?...

— J'ai reçu des nouvelles... devine de qui....

— Je ne sais pas....

— De Julie... de ta sœur.... Elle n'est pas heureuse.

— Ce serait un scandale qu'elle le fût.

— Ne parle pas ainsi, mon enfant : elle est ta sœur. Julie n'est pas mauvaise; elle a de bons sentiments, que le malheur a nourris. Elle t'aime. Je puis t'assurer, Évariste, qu'elle aspire à une vie laborieuse, exemplaire, et ne songe qu'à se rapprocher des siens. Rien n'empêche que tu la revoies. Elle a épousé Fortuné Chassagne.

— Elle vous a écrit?

— Non.

— Comment avez-vous de ses nouvelles, ma mère?

— Ce n'est pas par une lettre, mon enfant; c'est.... »

Il se leva et l'interrompit d'une voix terrible :

« Taisez-vous, ma mère! Ne me dites pas qu'ils sont tous deux rentrés en France.... Puisqu'ils doivent périr, que du moins ce ne soit pas par moi. Pour eux, pour vous, pour moi, faites que j'ignore qu'ils sont à Paris.... Ne me forcez pas à le savoir; sans quoi....

— Que veux-tu dire, mon enfant? Tu voudrais, tu oserais?...

— Ma mère, écoutez-moi : si je savais que ma sœur Julie est dans cette chambre... (et il montra du doigt la porte close), j'irais tout de suite la dénoncer au Comité de vigilance de la section. "

La pauvre mère, blanche comme sa coiffe, laissa tomber son tricot de ses mains tremblantes et soupira, d'une voix plus faible que le plus faible murmure :

" Je ne voulais pas le croire, mais je le vois bien : c'est un monstre .... "

Aussi pâlequ'elle, l'écume aux lèvres, Évariste s'enfuit et courut chercher auprès d'Élodie l'oubli, le sommeil, l'avant-goût délicieux du néant.

XIX

Pendant que le Père Longuemare et la fille Athénaïs étaient interrogés à la section, Brotteaux fut conduit entre deux gendarmes au Luxembourg, où le portier refusa de le recevoir, alléguant qu'il n'avait plus de place. Le vieux traitant fut mené ensuite à la Conciergerie et introduit au greffe, pièce assez petite, partagée en deux par une cloison vitrée. Pendant que le greffier inscrivait son nom sur les registres d'écrou, Brotteaux vit à travers les carreaux deux hommes qui, chacun sur un mauvais matelas, gardaient une immobilité de mort et, l'œil fixe, semblaient ne rien voir. Des assiettes, des bouteilles, des restes de pain et de viande couvraient le sol autour d'eux. C'étaient des condamnés à mort qui attendaient la charrette.

Le ci-devant des Ilettes fut conduit dans un cachot où, à la lueur d'une lanterne, il entrevit deux figures étendues, l'une farouche, mutilée, hideuse, l'autre gracieuse et douce. Ces deux prisonniers lui offrirent un peu de leur paille pourrie et pleine de vermine, pour qu'il ne couchât pas sur la terre souillée d'excréments. Brotteaux se laissa choir sur un banc, dans l'ombre puante, et demeura la tête contre le mur, muet, immobile. Sa douleur était telle qu'il se serait brisé la tête contre le mur, s'il en avait eu la force. Il ne pouvait respirer. Ses yeux se voilèrent; un long bruit, tranquille comme le silence, envahit ses oreilles, il sentit tout son être baigner dans un néant délicieux. Durant une incomparable seconde, tout lui fut harmonie, clarté sereine, parfum, douceur. Puis il cessa d'être.

Quand il revint à lui, la première pensée qui s'empara de son esprit fut de regretter son évanouissement et, philosophe jusque dans la stupeur du désespoir, il songea qu'il lui avait fallu descendre dans un cul de basse-fosse, en attendant la guillotine, pour éprouver la sensation de volupté la plus vive que ses sens eussent jamais goûtée. Il s'essayait à perdre de nouveau le sentiment, mais sans y réussir, et, peu à peu, au contraire, il sentait l'air infect du cachot apporter à ses poumons, avec la chaleur de la vie, la conscience de son intolérable misère.

Cependant ses deux compagnons tenaient son silence pour une cruelle injure. Brotteaux, qui était sociable, essaya de satisfaire leur curiosité; mais, quand ils apprirent qu'il était ce que l'on appelait " un politique ", un de ceux dont le crime léger était de parole ou de pensée, ils n'éprouvèrent pour lui ni estime ni sympathie. Les faits reprochés à ces deux prisonniers avaient plus de solidité : le plus vieux était un assassin, l'autre avait fabriqué de faux assignats. Ils s'accommodaient tous deux de leur état et y trouvaient même quelques satisfactions. Brotteaux se prit à songer soudain qu'au-dessus de sa tête tout était mouvement, bruit, lumière et vie, et que les jolies marchandes du Palais souriaient derrière leur étalage de parfumerie, de mercerie, au passant heureux et libre, et cette idée accrut son désespoir.

La nuit vint, inaperçue dans l'ombre et le silence du cachot, mais lourde pourtant et lugubre. Une jambe étendue sur son banc et le dos contre la muraille, Brotteaux s'assoupit. Et il se vit assis au pied d'un hêtre touffu, où chantaient les oiseaux; le soleil couchant couvrait la rivière de flammes liquides et le bord des nuées était teint de pourpre. La nuit se passa. Une fièvre ardente le dévorait et il buvait avidement, à même sa cruche, une eau qui augmentait son mal.

Le lendemain, le geôlier, qui apporta la soupe, promit à Brotteaux de le mettre à la pistole, moyennant finance, dès qu'il aurait de la place, ce qui ne tarderait guère. En effet, le surlendemain, il invita le vieux traitant à sortir de son cachot. A chaque marche qu'il montait, Brotteaux sentait rentrer en lui la force et la vie, et quand sur le carreau rouge d'une chambre il vit se dresser un lit de sangle recouvert d'une méchante couverture de laine, il pleura de joie. Le lit doré où se becquetaient des colombes, qu'il avait jadis fait faire pour la plus jolie des danseuses de l'Opéra, ne lui avait pas paru si agréable ni promis de telles délices.

Ce lit de sangle était dans une grande salle, assez propre, qui en contenait dix-sept autres, séparés par de hautes planches. La compagnie qui habitait là, composée d'ex-nobles, de marchands, de banquiers, d'artisans, ne déplut pas au vieux publicain, qui s'accommodait de toutes sortes de personnes. Il observa que ces hommes, privés comme lui de tout plaisir et exposés à périr par la main du bourreau, montraient de la gaieté et un goût vif pour la plaisanterie. Peu disposé à admirer les hommes, il attribuait la bonne humeur de ses compagnons à la légèreté de leur esprit, qui les empêchait de considérer attentivement leur situation. Et il se confirmait dans cette idée en observant que les plus intelligents d'entre eux étaient profondément tristes. Il s'aperçut bientôt que, pour la plupart, ils puisaient dans le vin et l'eau-de-vie une gaieté qui prenait à sa source un caractère violent et parfois un peu fou. Ils n'avaient pas tous du courage; mais tous en montraient. Brotteaux n'en était pas surpris : il savait que les hommes avouent volontiers la cruauté, la colère, l'avarice même, mais jamais la lâcheté, parce que cet aveu les mettrait, chez les sauvages et même dans une société polie, en un danger mortel. C'est pourquoi, songeait-il, tous les peuples sont des peuples de héros et toutes les armées ne sont composées que de braves.

Plus encore que le vin et l'eau-de-vie, le bruit des armes et des clefs, le grincement des serrures, l'appel des sentinelles, le trépignement des citoyens à la porte du Tribunal enivraient les prisonniers, leur inspiraient la mélancolie, le délire ou la fureur. Il y en avait qui se coupaient la gorge avec un rasoir ou se jetaient par une fenêtre.

Brotteaux logeait depuis trois jours à la pistole, quand il apprit, par le porte-clefs, que le Père Longuemare croupissait sur la paille pourrie, dans la vermine, avec les voleurs et les assassins. Il le fit recevoir à la pistole, dans la chambre qu'il habitait et où un lit était devenu vacant. S'étant engagé à payer pour le religieux, le vieux publicain, qui n'avait pas sur lui un grand trésor, s'ingénia à faire des portraits à un écu l'un. Il se procura, par l'intermédiaire d'un geôlier, de petits cadres noirs pour y mettre de menus travaux en cheveux qu'il exécutait assez adroitement. Et ces ouvrages furent très recherchés dans une réunion d'hommes qui songeaient à laisser des souvenirs.

Le Père Longuemare tenait haut son cœur et son esprit. En attendant d'être traduit devant le Tribunal révolutionnaire, il préparait sa défense. Ne séparant point sa cause de celle de l'Église, il se promettait d'exposer à ses juges les désordres et les scandales causés à l'Épouse de Jésus-Christ par la constitution civile du clergé; il entreprenait de peindre la fille aînée de l'Église faisant au pape une guerre sacrilège, le clergé français dépouillé, violenté, odieusement soumis à des laïques; les réguliers, véritable milice du Christ, spoliés et dispersés. Il citait saint Grégoire le Grand et saint Irénée, produisait des articles nombreux de droit canon et des paragraphes entiers des décrétales.

Toute la journée, il griffonnait sur ses genoux, au pied

de son lit, trempant des tronçons de plumes usées jusqu'aux barbes dans l'encre, dans la suie, dans le marc de café, couvrant d'une illisible écriture papiers à chandelle, papiers d'emballage, journaux, gardes de livres, vieilles lettres, vieilles factures, cartes à jouer, et songeant à y employer sa chemise après l'avoir passée à l'amidon. Il entassait feuille sur feuille, et, montrant l'indéchiffrable barbouillage, il disait :

“ Quand je paraîtrai devant mes juges, je les inonderai de lumière. ”

Et, un jour, jetant un regard satisfait sur sa défense sans cesse accrue et pensant à ces magistrats qu'il brûlait de confondre, il s'écria :

“ Je ne voudrais pas être à leur place ! ”

Les prisonniers que le sort avait réunis dans ce cachot étaient ou royalistes ou fédéralistes; il s'y trouvait même un jacobin; ils différaient entre eux d'opinion sur la manière de conduire les affaires de l'État, mais aucun d'eux ne gardait le moindre reste de croyances chrétiennes. Les feuillants, les constitutionnels, les girondins trouvaient, comme Brotteaux, le bon Dieu fort mauvais pour eux-mêmes et excellent pour le peuple. Les jacobins installaient à la place de Jéhovah un dieu jacobin, pour faire descendre de plus haut le jacobinisme sur le monde; mais, comme ils ne pouvaient concevoir ni les uns ni les autres qu'on fût assez absurde pour croire à aucune religion révélée, voyant que le Père Longuemare ne manquait pas d'esprit, ils le prenaient pour un fourbe. Afin, sans doute, de se préparer au martyre, il confessait sa foi en toute rencontre, et, plus il montrait de sincérité, plus il semblait un imposteur.

En vain Brotteaux se portait garant de la bonne foi du religieux; Brotteaux passait lui-même pour ne croire qu'une partie de ce qu'il disait. Ses idées étaient trop singulières pour ne pas paraître affectées, et ne contentaient personne entièrement. Il parlait de Jean-Jacques comme d'un plat coquin. Par contre, il mettait Voltaire au rang des hommes divins, sans toutefois l'égaler à l'aimable Helvétius, à Diderot, au baron d'Holbach. A son sens, le plus grand génie du siècle était Boulanger. Il estimait beaucoup aussi l'astronome Lalande et Dupuis, auteur d'un *Mémoire sur l'origine des constellations*. Les hommes d'esprit de la chambrée faisaient au pauvre barnabite mille plaisanteries dont il ne s'apercevait jamais : sa candeur déjouait tous les pièges.

Pour écarter les soucis qui les rongeaient et échapper aux tourments de l'oisiveté, les prisonniers jouaient aux dames, aux cartes et au trictrac. Il n'était permis d'avoir aucun instrument de musique. Après souper, on chantait, on récitait des vers. *La Pucelle* de Voltaire mettait un peu de gaîeté au cœur de ces malheureux, qui ne se lassaient pas d'en entendre les bons endroits. Mais, ne pouvant se distraire de la pensée affreuse plantée au milieu de leur cœur, ils essayaient parfois d'en faire un amusement et, dans la chambre des dix-huit lits, avant de s'endormir, ils jouaient au Tribunal révolutionnaire. Les rôles étaient distribués selon les goûts et les aptitudes. Les uns représentaient les juges et l'accusateur; d'autres, les accusés ou les témoins, d'autres le bourreau et ses valets. Les procès finissaient invariablement par l'exécution des condamnés, qu'on étendait sur un lit, le cou sous une planche. La scène était transportée ensuite dans les enfers. Les plus agiles de la troupe, enveloppés dans des draps, faisaient des spectres. Et un jeune avocat de Bordeaux, nommé Dubosc, petit, noir, borgne, bossu, bancal, le Diable boiteux en personne, venait, tout encorné, tirer le Père Longuemare, par les pieds, hors de son lit, lui annonçant qu'il était condamné aux flammes éternelles et damné sans rémission pour avoir fait du créateur de l'univers un être envieux, sot et méchant, un ennemi de la joie et de l'amour.

“ Ah! ah! ah! criait horriblement ce diable, tu as enseigné, vieux bonze, que Dieu se plaît à voir ses créatures languir dans la pénitence et s'abstenir de ses dons les plus chers. Imposteur, hypocrite, cafard, assieds-toi sur des clous et mange des coquilles d'œufs pour l'éternité! ”

Le Père Longuemare se contentait de répondre que, dans ce discours, le philosophe perçait sous le diable et que le moindre démon de l'enfer eût dit moins de sottises, étant un peu frotté de théologie et certes moins ignorant qu'un encyclopédiste.

Mais, quand l'avocat girondin l'appelait capucin, il se fâchait tout rouge et disait qu'un homme incapable de distinguer un barnabite d'un franciscain ne saurait pas voir une mouche dans du lait.

Le Tribunal révolutionnaire vidait les prisons, que les comités remplissaient sans relâche : en trois mois la chambre des dix-huit fut à moitié renouvelée. Le Père Longuemare perdit son diablotin. L'avocat Dubosc, traduit devant le Tribunal révolutionnaire, fut condamné à mort comme fédéraliste et pour avoir conspiré contre l'unité de la République. Au sortir du Tribunal, il repassa, comme tous les autres condamnés, par un corridor qui traversait la prison et donnait sur la chambre qu'il avait animée trois mois de sa gaieté. En faisant ses adieux à ses compagnons, il garda le ton léger et l'air joyeux qui lui étaient habituels.

“ Excusez-moi, monsieur, dit-il au Père Longuemare, de vous avoir tiré par les pieds dans votre lit. Je n'y reviendrai plus. ”

Et, se tournant vers le vieux Brotteaux :

“ Adieu, je vous précède dans le néant. Je livre volontiers à la nature les éléments qui me composent, en souhaitant qu'elle en fasse, à l'avenir, un meilleur usage, car il faut reconnaître qu'elle m'avait fort mal réussi. ”

Et il descendit au greffe, laissant Brotteaux affligé et le

Père Longuemare tremblant et vert comme la feuille, plus mort que vif de voir l'impie rire au bord de l'abîme.

Quand germinal ramena les jours clairs, Brotteaux, qui était voluptueux, descendit plusieurs fois par jour dans la cour qui donnait sur le quartier des femmes, près de la fontaine où les captives venaient, le matin, laver leur linge. Une grille séparait les deux quartiers; mais les barreaux n'en étaient pas assez rapprochés pour empêcher les mains de se joindre et les bouches de s'unir. Sous la nuit indulgente, des couples s'y pressaient. Alors Brotteaux, discrètement se réfugiait dans l'escalier et, assis sur une marche, tirait de la poche de sa redingote puce son petit Lucrèce, et lisait, à la lueur d'une lanterne, quelques maximes sévèrement consolatrices : " *Sic ubi non erimus....* Quand nous aurons cessé de vivre, rien ne pourra nous émouvoir, non pas même le ciel, la terre et la mer confondant leurs débris.... " Mais, tout en jouissant de sa haute sagesse, Brotteaux enviait au barnabite cette folie qui lui cachait l'univers.

La terreur, de mois en mois, grandissait. Chaque nuit, les geôliers ivres, accompagnés de leurs chiens de garde, allaient de cachot en cachot, portant des actes d'accusation, hurlant des noms qu'ils estropiaient, réveillaient les prisonniers et pour vingt victimes désignées en épouvantaient deux cents. Dans ces corridors, pleins d'ombres sanglantes, passaient chaque jour, sans une plainte, vingt, trente, cinquante condamnés, vieillards, femmes, adolescents, et si divers de condition, de caractère, de sentiment, qu'on se demandait s'ils n'avaient pas été tirés au sort.

Et l'on jouait aux cartes, on buvait du vin de Bourgogne, on faisait des projets, on avait des rendez-vous, la nuit, à la grille. La société, presque entièrement renouvelée, était maintenant composée en grande partie d' " exagérés " et d' " enragés ". Toutefois la chambre des dix-huit lits demeurait encore le séjour de l'élégance et du bon ton :

hors deux détenus qu'on y avait mis, récemment transférés du Luxembourg à la Conciergerie, et qu'on suspectait d'être des " moutons ", c'est-à-dire des espions, les citoyens Navette et Bellier, il ne s'y trouvait que d'honnêtes gens, qui se témoignaient une confiance réciproque. On y célébrait, la coupe à la main, les victoires de la République. Il s'y rencontrait plusieurs poètes, comme il s'en voit dans toute réunion d'hommes oisifs. Les plus habiles d'entre eux composaient des odes sur les triomphes de l'armée du Rhin et les récitaient avec emphase. Ils étaient bruyamment applaudis. Brotteaux seul louait mollement les vainqueurs et leurs chantres.

" C'est, depuis Homère, une étrange manie des poètes, dit-il un jour, que de célébrer les militaires. La guerre n'est point un art, et le hasard décide seul du sort des batailles. De deux généraux en présence, tous deux stupides, il faut nécessairement que l'un d'eux soit victorieux. Attendez-vous à ce qu'un jour un de ces porteurs d'épée que vous divinisez vous avale tous comme la grue de la fable avale les grenouilles. C'est alors qu'il sera vraiment dieu! Car les dieux se connaissent à l'appétit. "

Brotteaux n'avait jamais été touché par la gloire des armes. Il ne se réjouissait nullement des triomphes de la République, qu'il avait prévus. Il n'aimait point le nouveau régime qu'affermissait la victoire. Il était mécontent. On l'eût été à moins.

Un matin, on annonça que les commissaires du Comité de sûreté générale feraient des perquisitions chez les détenus, qu'on saisirait assignats, objets d'or et d'argent, couteaux, ciseaux, que de telles recherches avaient été faites au Luxembourg et qu'on avait enlevé lettres, papiers, livres.

Chacun alors s'ingénia à trouver quelque cachette où mettre ce qu'il avait de plus précieux. Le Père Longuemare porta, par brassées, sa défense dans une gouttière.

Brotteaux coula son Lucrèce dans les cendres de la cheminée.

Quand les commissaires, ayant au cou des rubans tricolores, vinrent opérer leurs saisies, ils ne trouvèrent guère que ce qu'on avait jugé convenable de leur laisser. Après leur départ, le Père Longuemare courut à sa gouttière et recueillit de sa défense ce que l'eau et le vent en avaient laissé. Brotteaux retira de la cheminée son Lucrèce tout noir de suie.

“ Jouissons de l'heure présente, songea-t-il, car j'augure à certains signes que le temps nous est désormais étroitement mesuré. ”

Par une douce nuit de prairial, tandis qu'au-dessus du préau la lune montrait dans le ciel pâli ses deux cornes d'argent, le vieux traitant qui, à sa coutume, lisait Lucrèce sur un degré de l'escalier de pierre, entendit une voix l'appeler, une voix de femme, une voix délicieuse, qu'il ne reconnaissait pas. Il descendit dans la cour et vit derrière la grille une forme qu'il ne reconnaissait pas plus que la voix et qui lui rappelait, par ses contours indistincts et charmants, toutes les femmes qu'il avait aimées. Le ciel la baignait d'azur et d'argent. Brotteaux reconnut soudain la jolie comédienne de la rue Feydeau, Rose Thévenin.

“ Vous ici, mon enfant! La joie de vous y voir m'est cruelle. Depuis quand et pourquoi êtes-vous ici?

— Depuis hier. ”

Et elle ajouta très bas :

“ J'ai été dénoncée comme royaliste. On m'accuse d'avoir conspiré pour délivrer la reine. Comme je vous savais ici, j'ai tout de suite cherché à vous voir. Écoutez-moi, mon ami... car vous voulez bien que je vous donne ce nom? ... Je connais des gens en place; j'ai, je le sais, des sympathies jusque dans le Comité de salut public. Je ferai agir mes amis : ils me délivreront, et je vous délivrerai à mon tour. ”

Mais Brotteaux, d'une voix qui se fit pressante :

" Par tout ce que vous avez de cher, mon enfant, n'en faites rien! N'écrivez pas, ne sollicitez pas; ne demandez rien à personne, je vous en conjure, faites-vous oublier. "

Comme elle ne semblait pas pénétrée de ce qu'il disait, il se fit plus suppliant encore :

" Gardez le silence, Rose, faites-vous oublier : là est le salut. Tout ce que vos amis tenteraient ne ferait que hâter votre perte. Gagnez du temps. Il en faut peu, très peu, j'espère, pour vous sauver.... Surtout n'essayez pas d'émouvoir les juges, les jurés, un Gamelin. Ce ne sont pas des hommes, ce sont des choses : on ne s'explique pas avec les choses. Faites-vous oublier. Si vous suivez mon conseil, mon amie, je mourrai heureux de vous avoir sauvé la vie. "

Elle répondit :

" Je vous obéirai.... Ne parlez pas de mourir. "

Il haussa les épaules :

" Ma vie est finie, mon enfant. Vivez et soyez heureuse. "

Elle lui prit les mains et les mit sur son sein :

" Écoutez-moi, mon ami.... Je ne vous ai vu qu'un jour et pourtant vous ne m'êtes point indifférent. Et si ce que je vais vous dire peut vous rattacher à la vie, croyez-le : je serai pour vous... tout ce que vous voudrez que je sois. "

Et ils se donnèrent un baiser sur la bouche à travers la grille.

XX

Évariste Gamelin, pendant une longue audience du Tribunal, à son banc, dans l'air chaud, ferme les yeux et pense :

" Les méchants, en forçant Marat à se cacher dans les trous, en avaient fait un oiseau de nuit, l'oiseau de Minerve, dont l'œil perçait les conspirateurs dans les ténèbres où ils se dissimulaient. Maintenant, c'est un regard bleu, froid, tranquille, qui pénètre les ennemis de l'État et dénonce les traîtres avec une subtilité inconnue même à l'Ami du peuple, endormi pour toujours dans le jardin des Cordeliers. Le nouveau sauveur, aussi zélé et plus perspicace que le premier, voit ce que personne n'avait vu et son doigt levé répand la terreur. Il distingue les nuances délicates, imperceptibles, qui séparent le mal du bien, le vice de la vertu, que sans lui on eût confondues, au dommage de la patrie et de la liberté; il trace devant lui la ligne mince, inflexible, en dehors de laquelle il n'est, à gauche et à droite, qu'erreur, crime et scélératesse. L'Incorruptible enseigne comment on sert l'étranger par exagération et par faiblesse, en persécutant les cultes au nom de la raison, et en résistant au nom de la religion aux lois de la République. Non moins que les scélérats qui immolèrent Le Peltier et Marat, ceux qui leur décernent des honneurs divins pour compromettre leur mémoire servent l'étranger. Agent de l'étranger, quiconque rejette les idées d'ordre, de sagesse, d'opportunité; agent de l'étranger, quiconque outrage les mœurs, offense la vertu, et, dans le dérèglement de son cœur, nie Dieu. Les prêtres fanatiques méritent la mort; mais il y a une manière contre-révolutionnaire de combattre le fanatisme; il y a des abjurations criminelles. Modéré, on perd la République; violent, on la perd.

" Oh! redoutables devoirs du juge, dictés par le plus sage des hommes! Ce ne sont plus seulement les aristocrates, les fédéralistes, les scélérats de la faction d'Orléans, les ennemis déclarés de la patrie qu'il faut frapper. Le conspirateur, l'agent de l'étranger est un Protée, il prend toutes les formes. Il revêt l'apparence d'un patriote, d'un révolutionnaire, d'un ennemi des rois; il affecte l'audace d'un cœur qui ne bat que pour la liberté; il enfle la voix et fait trembler les ennemis de la République : c'est Danton; sa violence cache mal son odieux modérantisme et sa corruption apparaît enfin. Le conspirateur, l'agent de l'étranger, c'est ce bègue éloquent qui mit à son chapeau la première cocarde des révolutionnaires, c'est ce pamphlétaire qui, dans son civisme ironique et cruel, s'appelait lui-même " le procureur de la lanterne ", c'est Camille Desmoulins : il s'est décelé en défendant les généraux traîtres et en réclamant les mesures criminelles d'une clémence intempestive. C'est Philippeaux, c'est Hérault, c'est le méprisable Lacroix. Le conspirateur, l'agent de l'étranger, c'est ce père Duchesne qui avilit la liberté par sa basse démagogie et de qui les immondes calomnies rendirent Antoinette elle-même intéressante. C'est Chaumette, qu'on vit pourtant doux, populaire, modéré, bonhomme et vertueux dans l'administration de la Commune, mais il était athée! Les conspirateurs, les agents de l'étranger, ce sont tous ces sans-culottes en bonnet rouge, en carmagnole, en sabots, qui ont follement renchéri de patriotisme sur les jacobins. Le conspirateur, l'agent de l'étranger, c'est Anacharsis Cloots, l'orateur du genre humain, condamné à mort par toutes les monarchies du monde; mais on devait tout craindre de lui : il était Prussien.

" Maintenant, violents et modérés, tous ces méchants, tous ces traîtres, Danton, Desmoulins, Hébert, Chaumette, ont péri sous la hache. La République est sauvée; un concert de louanges monte de tous les comités et de toutes les assemblées populaires vers Maximilien et la Montagne. Les bons citoyens s'écrient : " Dignes représentants d'un " peuple libre, c'est en vain que les enfants des Titans ont " levé leur tête altière : Montagne bienfaisante, Sinaï pro- " tecteur, de ton sein bouillonnant est sortie la foudre " salutaire.... "

" En ce concert, le Tribunal a sa part de louanges. Qu'il est doux d'être vertueux et combien la reconnaissance publique est chère au cœur du juge intègre!

" Cependant, pour un cœur patriote, quel sujet d'étonnement et quelles causes d'inquiétude! Quoi! pour trahir la cause populaire, ce n'était donc pas assez de Mirabeau, de La Fayette, de Bailly, de Pétion, de Brissot? Il y fallait encore ceux qui ont dénoncé ces traîtres. Quoi! tous les hommes qui ont fait la Révolution ne l'ont faite que pour la perdre! Ces grands auteurs des grandes journées préparaient avec Pitt et Cobourg la royauté d'Orléans ou la tutelle de Louis XVII. Quoi! Danton, c'était Monk! Quoi! Chaumette et les hébertistes, plus perfides que les fédéralistes qu'ils ont poussés sous le couteau, avaient conjuré la ruine de l'empire! Mais parmi ceux qui précipitent à la mort les perfides Danton et les perfides Chaumette, l'œil bleu de Robespierre n'en découvrira-t-il pas demain de plus perfides encore? Où s'arrêtera l'exécrable enchaînement des traîtres trahis et la perspicacité de l'Incorruptible?... "

XXI

Cependant Julie Gamelin, vêtue de son carrick vert bouteille, allait tous les jours dans le jardin du Luxembourg et là, sur un banc, au bout d'une allée, attendait le moment où son amant paraîtrait à une des lucarnes du palais. Ils se faisaient des signes et échangeaient leurs pensées dans un langage muet qu'ils avaient imaginé. Elle savait par ce moyen que le prisonnier occupait une assez bonne chambre, jouissait d'une agréable compagnie, avait besoin d'une couverture et d'une bouillotte et aimait tendrement sa maîtresse.

Elle n'était pas seule à épier un visage aimé dans ce palais changé en prison. Une jeune mère près d'elle tenait ses regards attachés sur une fenêtre close et, dès qu'elle voyait la fenêtre s'ouvrir, elle élevait son petit enfant dans ses bras, au-dessus de sa tête. Une vieille dame, voilée de dentelle, se tenait de longues heures immobile sur un pliant, espérant en vain apercevoir un moment son fils qui, pour ne pas s'attendrir, jouait au palet dans la cour de la prison, jusqu'à ce qu'on eût fermé le jardin.

Durant ces longues stations sous le ciel gris ou bleu, un homme d'un âge mûr, assez gros, très propre, se tenait sur un banc voisin, jouant avec sa tabatière et ses breloques, et dépliant un journal qu'il ne lisait jamais. Il était vêtu, à la vieille mode bourgeoise, d'un tricorne à galon d'or, d'un habit zinzolin et d'un gilet bleu, brodé d'argent. Il avait l'air honnête; il était musicien, à en juger par la flûte dont un bout dépassait sa poche. Pas un moment il ne quittait des yeux le faux jeune garçon, il ne cessait de lui sourire et, le voyant se lever, il se levait lui-même et le suivait de loin. Julie, dans sa misère et dans sa solitude, se sentait touchée de la sympathie discrète que lui montrait ce bon homme.

Un jour, comme elle sortait du jardin, la pluie commençant à tomber, le bon homme s'approcha d'elle et, ouvrant son vaste parapluie rouge, lui demanda la permission de l'en abriter. Elle lui répondit doucement, de sa voix claire, qu'elle y consentait. Mais au son de cette voix et averti, peut-être, par une subtile odeur de femme, il s'éloigna vivement, laissant exposée à la pluie d'orage la jeune femme, qui comprit et, malgré ses soucis, ne put s'empêcher de sourire.

Julie logeait dans une mansarde de la rue du Cherche-Midi et se faisait passer pour un commis drapier qui cherchait un emploi : la citoyenne veuve Gamelin, persuadée enfin que sa fille ne courait nulle part de si grand danger que près d'elle, l'avait éloignée de la place de Thionville et de la section du Pont-Neuf, et l'entretenait de vivres et de linge autant qu'elle pouvait. Julie faisait un peu de cuisine, allait au Luxembourg voir son cher amant et rentrait dans son taudis; la monotonie de ce manège berçait ses chagrins et, comme elle était jeune et robuste, elle dormait toute la nuit d'un profond sommeil. D'un caractère hardi, habituée aux aventures et excitée, peut-être, par l'habit qu'elle portait, elle allait quelquefois, la nuit, chez un limonadier de la rue du Four, à l'enseigne de la *Croix rouge*, que fréquentaient des gens de toutes sortes et des femmes galantes. Elle y lisait les gazettes et jouait au trictrac avec quelque courtaud de boutique ou quelque militaire, qui lui fumait sa pipe au nez. Là, on buvait, on jouait, on faisait l'amour et les rixes étaient fréquentes. Un soir, un buveur, au bruit d'une chevauchée sur le pavé du carrefour, souleva le rideau et, reconnaissant le commandant en chef de la garde nationale, le citoyen Hanriot, qui passait au galop avec son état-major, murmura entre ses dents :

" Voilà la bourrique à Robespierre ! "

A ce mot, Julie poussa un grand éclat de rire.

Mais un patriote à moustaches releva vertement le propos :

" Celui qui parle ainsi, s'écria-t-il, est un f... aristocrate, que j'aurais plaisir à voir éternuer dans le panier à Samson. Sachez que le général Hanriot est un bon patriote qui saura défendre, au besoin, Paris et la Convention. C'est cela que les royalistes ne lui pardonnent point. "

Et le patriote à moustaches, dévisageant Julie qui ne cessait pas de rire :

" Toi, blanc-bec, prends garde que je ne t'envoie mon pied dans le derrière, pour t'apprendre à respecter les patriotes. "

Cependant des voix s'élevaient :

" Hanriot est un ivrogne et un imbécile !

— Hanriot est un bon jacobin ! Vive Hanriot ! "

Deux partis se formèrent. On s'aborda, les poings s'abattirent sur les chapeaux défoncés, les tables se renversèrent, les verres volèrent en éclats, les quinquets s'éteignirent, les femmes poussèrent des cris aigus. Assaillie par plusieurs patriotes, Julie s'arma d'une banquette, fut terrassée, griffa, mordit ses agresseurs. De son carrick ouvert et de son jabot déchiré sa poitrine haletante sortait. Une patrouille accourut au bruit, et la jeune aristocrate s'échappa entre les jambes des gendarmes.

Chaque jour, les charrettes étaient pleines de condamnés.

" Je ne peux pourtant pas laisser mourir mon amant ! " disait Julie à sa mère.

Elle résolut de solliciter, de faire des démarches, d'aller

dans les comités, dans les bureaux, chez des représentants, chez des magistrats, partout où il faudrait. Elle n'avait point de robe. Sa mère emprunta une robe rayée, un fichu, une coiffe de dentelle à la citoyenne Blaise, et Julie, vêtue en femme et en patriote, se rendit chez le juge Renaudin, dans une humide et sombre maison de la rue Mazarine.

Elle monta en tremblant l'escalier de bois et de carreau et fut reçue par le juge dans son cabinet misérable, meublé d'une table de sapin et de deux chaises de paille. Le papier de tenture pendait en lambeaux. Renaudin, les cheveux noirs et collés, l'œil sombre, les babines retroussées et le menton saillant, lui fit signe de parler et l'écouta en silence.

Elle lui dit qu'elle était la sœur du citoyen Chassagne, prisonnier au Luxembourg, lui exposa le plus habilement qu'elle put les circonstances dans lesquelles il avait été arrêté, le représenta innocent et malheureux, se montra pressante.

Il demeura insensible et dur.

Suppliante, à ses pieds, elle pleura.

Dès qu'il vit des larmes, son visage changea : ses prunelles, d'un noir rougeâtre, s'enflammèrent, et ses énormes mâchoires bleues remuèrent comme pour ramener la salive dans sa gorge sèche.

« Citoyenne, on fera le nécessaire. Ne vous inquiétez pas. »

Et, ouvrant une porte, il poussa la solliciteuse dans un petit salon rose, où il y avait des trumeaux peints, des groupes de biscuit, un cartel et des candélabres dorés, des bergères, un canapé de tapisserie décoré d'une pastorale de Boucher. Julie était prête à tout pour sauver son amant.

Renaudin fut brutal et rapide. Quand elle se leva, rajustant la belle robe de la citoyenne Élodie, elle rencontra le regard cruel et moqueur de cet homme; elle sentit aussitôt qu'elle avait fait un sacrifice inutile.

« Vous m'avez promis la liberté de mon frère », dit-elle.

Il ricana.

« Je t'ai dit, citoyenne, qu'on ferait le nécessaire, c'est-à-dire qu'on appliquerait la loi, rien de plus, rien de moins. Je t'ai dit de ne point t'inquiéter, et pourquoi t'inquiéterais-tu? Le Tribunal révolutionnaire est toujours juste. »

Elle pensa se jeter sur lui, le mordre, lui arracher les yeux. Mais, sentant qu'elle achèverait de perdre Fortuné Chassagne, elle s'enfuit et courut enlever dans sa mansarde la robe souillée d'Élodie. Et là, seule, elle hurla, toute la nuit, de rage et de douleur.

Le lendemain, étant retournée au Luxembourg, elle trouva le jardin occupé par des gendarmes qui chassaient les femmes et les enfants. Des sentinelles, placées dans les allées, empêchaient les passants de communiquer avec les détenus. La jeune mère, qui venait, chaque jour, portant son enfant dans ses bras, dit à Julie qu'on parlait de conspiration dans les prisons et que l'on reprochait aux femmes de se réunir dans le jardin pour émouvoir le peuple en faveur des aristocrates et des traîtres.

XXII

Une montagne s'est élevée subitement dans le jardin des Tuileries. Le ciel est sans nuages. Maximilien marche devant ses collègues en habit bleu, en culotte jaune, ayant à la main un bouquet d'épis, de bleuets et de coquelicots. Il gravit la montagne et annonce le dieu de Jean-Jacques à la République attendrie. O pureté! ô douceur! ô foi! ô simplicité antique! ô larmes de pitié! ô rosée féconde! ô clémence! ô fraternité humaine!

En vain l'athéisme dresse encore sa face hideuse : Maximilien saisit une torche; les flammes dévorent le monstre et la Sagesse apparaît, d'une main montrant le ciel, de l'autre tenant une couronne d'étoiles.

Sur l'estrade dressée contre le palais des Tuileries, Évariste, au milieu de la foule émue, verse de douces larmes et rend grâces à Dieu. Il voit s'ouvrir une ère de félicité.

Il soupire :

« Enfin nous serons heureux, purs, innocents, si les scélérats le permettent. »

Hélas! les scélérats ne l'ont pas permis. Il faut encore des supplices; il faut encore verser des flots de sang impur. Trois jours après la fête de la nouvelle alliance et la réconciliation du ciel et de la terre, la Convention promulgue la loi de prairial qui supprime, avec une sorte de bonhomie terrible, toutes les formes traditionnelles de la loi, tout ce qui a été conçu depuis le temps des Romains équitables pour la sauvegarde de l'innocence soupçonnée. Plus d'instructions, plus d'interrogatoires, plus de témoins, plus de défenseurs : l'amour de la patrie supplée à tout. L'accusé, qui porte renfermé en lui son crime ou son innocence, passe muet devant le juré patriote. Et c'est dans ce temps qu'il faut discerner sa cause parfois difficile, souvent chargée et obscurcie. Comment juger maintenant? Comment reconnaître en un instant l'honnête homme et le scélérat, le patriote et l'ennemi de la patrie?...

Après un moment de trouble, Gamelin comprit ses nouveaux devoirs et s'accommoda à ses nouvelles fonctions. Il reconnaissait dans l'abréviation de la procédure les vrais caractères de cette justice salutaire et terrible dont les ministres n'étaient point des chats-fourrés pesant à loisir le pour et le contre dans leurs gothiques balances, mais des sans-culottes jugeant par illumination patriotique et voyant tout dans un éclair. Alors que les garanties, les précautions eussent tout perdu, les mouvements d'un cœur droit sauvaient tout. Il fallait suivre les impulsions de la nature, cette bonne mère, qui ne se trompe jamais; il fallait juger avec le cœur, et Gamelin faisait des invocations aux mânes de Jean-Jacques :

« Homme vertueux, inspire-moi, avec l'amour des hommes, l'ardeur de les régénérer! »

Ses collègues, pour la plupart, sentaient comme lui. C'était surtout des simples; et, quand les formes furent simplifiées, ils se trouvèrent à leur aise. La justice abrégée les contentait. Rien, dans sa marche accélérée, ne les troublait plus. Ils s'enquéraient seulement des opinions des accusés, ne concevant pas qu'on pût sans méchanceté penser autrement qu'eux. Comme ils croyaient posséder la vérité, la sagesse, le souverain bien, ils attribuaient à leurs adversaires l'erreur et le mal. Ils se sentaient forts : ils voyaient Dieu.

Ils voyaient Dieu, ces jurés du Tribunal révolutionnaire. L'Être suprême, reconnu par Maximilien, les inondait de ses flammes. Ils aimaient, ils croyaient.

Le fauteuil de l'accusé avait été remplacé par une vaste estrade pouvant contenir cinquante individus : on ne procédait plus que par fournées. L'accusateur public réunissait dans une même affaire et inculpait comme complices des gens qui souvent, au Tribunal, se rencontraient pour la première fois. Le Tribunal jugea avec les facilités terribles de la loi de prairial ces prétendues conspirations des prisons qui, succédant aux proscriptions des dantonistes et de la Commune, s'y rattachaient par les artifices d'une pensée subtile. Pour qu'on y reconnût en effet les deux caractères essentiels d'un complot fomenté avec l'or de l'étranger contre la République, la modération intempestive et l'exagération calculée, pour qu'on y vît encore le crime dantoniste et le crime hébertiste, on y avait mis deux têtes opposées, deux têtes de femmes, la veuve de Camille, cette aimable Lucile, et la veuve de l'hébertiste Momoro, déesse d'un jour et joyeuse commère. Toutes deux avaient été renfermées par symétrie dans la même prison, où elles avaient pleuré ensemble sur le même banc de pierre; toutes deux avaient, par symétrie, monté sur l'échafaud. Symbole trop ingénieux, chef-d'œuvre d'équilibre imaginé sans doute par une âme de procureur et dont on faisait honneur à Maximilien. On rapportait à ce représentant du peuple tous les événements heureux ou malheureux qui s'accomplissaient dans la République, les lois, les mœurs, le cours des saisons, les récoltes, les maladies. Injustice méritée, car cet homme, menu, propret, chétif, à face de chat, était puissant sur le peuple....

Le Tribunal expédiait, ce jour-là, une partie de la grande conspiration des prisons, une trentaine de conspirateurs du Luxembourg, captifs très soumis, mais royalistes ou fédéralistes très prononcés. L'accusation reposait tout entière sur le témoignage d'un seul délateur. Les jurés ne savaient pas un mot de l'affaire; ils ignoraient jusqu'aux noms des conspirateurs. Gamelin, en jetant les yeux sur le banc des accusés, reconnut parmi eux Fortuné Chassagne. L'amant de Julie, amaigri par une longue captivité, pâle, les traits durcis par la lumière crue qui baignait la salle, gardait encore quelque grâce et quelque fierté. Ses regards rencontrèrent ceux de Gamelin et se chargèrent de mépris.

Gamelin, possédé d'une fureur tranquille, se leva, demanda la parole, et, les yeux fixés sur le buste de Brutus l'ancien, qui dominait le Tribunal :

« Citoyen président, dit-il, bien qu'il puisse exister entre un des accusés et moi des liens qui, s'ils étaient déclarés, seraient des liens d'alliance, je déclare ne me point récuser. Les deux Brutus ne se récusèrent pas quand, pour le salut de la république ou la cause de la liberté, il leur fallut condamner un fils, frapper un père adoptif. »

Il se rassit.

« Voilà un beau scélérat », murmura Chassagne entre ses dents.

Le public restait froid, soit qu'il fût enfin las des caractères sublimes, soit que Gamelin eût triomphé trop facilement des sentiments naturels.

« Citoyen Gamelin, dit le président, aux termes de la loi, toute récusation doit être formulée par écrit, dans les vingt-quatre heures avant l'ouverture des débats. Au reste, tu n'as pas lieu de te récuser : un juré patriote est au-dessus des passions. »

Chaque accusé fut interrogé pendant trois ou quatre minutes. Le réquisitoire conclut à la peine de mort pour tous. Les jurés la votèrent d'une parole, d'un signe de tête et par acclamation. Quand ce fut le tour de Gamelin d'opiner :

“ Tous les accusés sont convaincus, dit-il, et la loi est formelle. ”

Tandis qu’il descendait l’escalier du Palais, un jeune homme vêtu d’un carrick vert bouteille et qui semblait âgé de dix-sept ou dix-huit ans, l’arrêta brusquement au passage. Il portait un chapeau rond, rejeté en arrière, et dont les bords faisaient à sa belle tête pâle une auréole noire. Dressé devant le juré, il lui cria, terrible de colère et de désespoir :

“ Scélérat! monstre! assassin! Frappe-moi, lâche! Je suis une femme! Fais-moi arrêter, fais-moi guillotiner, Caïn! Je suis ta sœur. ”

Et Julie lui cracha au visage.

La foule des tricoteuses et des sans-culottes se relâchait alors de sa vigilance révolutionnaire; son ardeur civique était bien attiédie : il n’y eut autour de Gamelin et de son agresseur que des mouvements incertains et confus. Julie fendit l’attroupement et disparut dans le crépuscule.

XXIII

Évariste Gamelin était las et ne pouvait se reposer; vingt fois dans la nuit, il se réveillait en sursaut d'un sommeil plein de cauchemars. C'était seulement dans la chambre bleue, entre les bras d'Élodie, qu'il pouvait dormir quelques heures. Il parlait et criait en dormant et la réveillait; mais elle ne pouvait comprendre ses paroles.

Un matin, après une nuit où il avait vu les Euménides, il se réveilla brisé d'épouvante et faible comme un enfant. L'aube traversait les rideaux de la chambre de ses flèches livides. Les cheveux d'Évariste, mêlés sur son front, lui couvraient les yeux d'un voile noir : Élodie, au chevet du lit, écartait doucement les mèches farouches. Elle le regardait, cette fois, avec une tendresse de sœur et, de son mouchoir, essuyait la sueur glacée sur le front du malheureux. Alors il se rappela cette belle scène de l'*Oreste* d'Euripide, dont il avait ébauché un tableau qui, s'il avait pu l'achever, aurait été son chef-d'œuvre : la scène où la malheureuse Électre essuie l'écume qui souille la bouche de son frère. Et il croyait entendre aussi Élodie dire d'une voix douce : " Écoute-moi, mon frère chéri, pendant que les Furies te laissent maître de ta raison.... "

Et il songeait :

" Et pourtant, je ne suis point parricide. Au contraire, c'est par piété filiale que j'ai versé le sang impur des ennemis de ma patrie. "

XXIV

On n'en finissait pas avec la conspiration des prisons. Quarante-neuf accusés remplissaient les gradins. Maurice Brotteaux occupait la droite du plus haut degré, la place d'honneur. Il était vêtu de sa redingote puce, qu'il avait soigneusement brossée la veille, et reprisée à l'endroit de la poche que le petit Lucrèce, à la longue, avait usée. A son côté, la femme Rochemaure, peinte, fardée, éclatante, horrible. On avait placé le Père Longuemare entre elle et la fille Athénaïs, qui avait retrouvé, aux Madelonnettes, la fraîcheur de l'adolescence.

Les gendarmes entassaient sur les gradins des gens que ceux-ci ne connaissaient pas, et qui, peut-être, ne se connaissaient pas entre eux, tous complices cependant, parlementaires, journaliers, ci-devant nobles, bourgeois et bourgeoises. La citoyenne Rochemaure aperçut Gamelin au banc des jurés. Bien qu'il n'eût pas répondu à ses lettres pressantes, à ses messages répétés, elle espéra en lui, lui envoya un regard suppliant et s'efforça d'être pour lui belle et touchante. Mais le regard froid du jeune magistrat lui ôta toute illusion.

Le greffier lut l'acte d'accusation qui, bref sur chacun des accusés, était long à cause de leur nombre. Il exposait à grands traits le complot ourdi dans les prisons pour noyer la République dans le sang des représentants de la nation et du peuple de Paris, et, faisant la part de chacun, il disait :

“ L’un des plus pernicieux auteurs de cette abominable conjuration est le nommé Brotteaux, ci-devant des Ilettes, receveur des finances sous le tyran. Cet individu, qui se faisait remarquer, même au temps de la tyrannie, par sa conduite dissolue, est une preuve certaine que le libertinage et les mauvaises mœurs sont les plus grands ennemis de la liberté et du bonheur des peuples : en effet, après avoir dilapidé les finances publiques et épuisé en débauches une notable partie de la substance du peuple, cet individu s’associa avec son ancienne concubine, la femme Rochemaure, pour correspondre avec les émigrés et informer traîtreusement la faction de l’étranger de l’état de nos finances, des mouvements de nos troupes, des fluctuations de l’opinion.

“ Brotteaux qui, à cette période de sa méprisable existence, vivait en concubinage avec une prostituée qu’il avait ramassée dans la boue de la rue Fromenteau, la fille Athénaïs, la gagna facilement à ses desseins et l’employa à fomenter la contre-révolution par des cris impudents et des excitations indécentes.

“ Quelques propos de cet homme néfaste vous indiqueront clairement ses idées abjectes et son but pernicieux. Parlant du tribunal patriotique, appelé aujourd’hui à le châtier, il disait insolemment : “ Le Tribunal révolution-
“ naire ressemble à une pièce de Guillaume Shakespeare,
“ qui mêle aux scènes les plus sanglantes les bouffon-
“ neries les plus triviales. ” Sans cesse il préconisait l’athéisme, comme le moyen le plus sûr d’avilir le peuple et de le rejeter dans l’immoralité. Dans la prison de la Conciergerie, où il était détenu, il déplorait à l’égal des pires calamités les victoires de nos vaillantes armées, et s’efforçait de jeter la suspicion sur les généraux les plus patriotes en leur prêtant des desseins tyrannicides. “ At-
“ tendez-vous, disait-il, dans un langage atroce, que la
“ plume hésite à reproduire, attendez-vous à ce que, un

“ jour, un de ces porteurs d'épée, à qui vous devez votre “ salut, vous avale tous comme la grue de la fable avala “ les grenouilles. ”

Et l'acte d'accusation poursuivait de la sorte.

“ La femme Rochemaure, ci-devant noble, concubine de Brotteaux, n'est pas moins coupable que lui. Non seulement elle correspondait avec l'étranger et était stipendiée par Pitt lui-même, mais, associée à des hommes corrompus, tels que Julien (de Toulouse) et Chabot, en relations avec le ci-devant baron de Batz, elle inventait, de concert avec ce scélérat, toutes sortes de machinations pour faire baisser les actions de la Compagnie des Indes, les acheter à vil prix et en relever le cours par des machinations opposées aux premières, frustrant ainsi la fortune privée et la fortune publique. Incarcérée à la Bourbe et aux Madelonnettes, elle n'a pas cessé de conspirer dans sa prison, d'agioter et de se livrer à des tentatives de corruption à l'égard des juges et des jurés.

“ Louis Longuemare, ex-noble, ex-capucin, s'était depuis longtemps essayé à l'infamie et au crime avant d'accomplir les actes de trahison dont il a à répondre ici. Vivant dans une honteuse promiscuité avec la fille Gorcut, dite Athénaïs, sous le toit même de Brotteaux, il est le complice de cette fille et de ce ci-devant noble. Durant sa captivité à la Conciergerie, il n'a pas cessé un seul jour d'écrire des libelles attentatoires à la liberté et à la paix publiques.

“ Il est juste de dire, à propos de Marthe Gorcut, dite Athénaïs, que les filles prostituées sont le plus grand fléau des mœurs publiques, auxquelles elles insultent, et l'opprobre de la société qu'elles flétrissent. Mais à quoi bon s'étendre sur des crimes répugnants, que l'accusée avoue sans pudeur?... ”

L'accusation passait ensuite en revue les cinquante-quatre autres prévenus, que ni Brotteaux, ni le Père Longuemare, ni la citoyenne Rochemaure ne connaissaient, sinon pour en avoir vu plusieurs dans les prisons, et qui étaient enveloppés avec les premiers dans " cette conjuration exécrable, dont les annales des peuples ne fournissent point d'exemple ".

L'accusation concluait à la peine de mort pour tous les inculpés.

Brotteaux fut interrogé le premier.

" Tu as conspiré?

— Non, je n'ai pas conspiré. Tout est faux dans l'acte d'accusation que je viens d'entendre.

— Tu vois : tu conspires encore en ce moment contre le Tribunal. "

Et le président passa à la femme Rochemaure, qui répondit par des protestations désespérées, des larmes et des arguties.

Le Père Longuemare s'en remettait entièrement à la volonté de Dieu. Il n'avait pas même apporté sa défense écrite.

A toutes les questions qui lui furent posées, il répondit avec un esprit de renoncement. Toutefois, quand le président le traita de capucin, le vieil homme en lui se ranima :

" Je ne suis pas capucin, dit-il, je suis prêtre et religieux de l'ordre des Barnabites.

— C'est la même chose ", répliqua le président avec bonhomie.

Le Père Longuemare le regarda, indigné :

" On ne peut concevoir d'erreur plus étrange, fit-il, que de confondre avec un capucin un religieux de cet ordre des Barnabites qui tient ses constitutions de l'apôtre saint Paul lui-même. "

Les éclats de rire et les huées éclatèrent dans l'assistance.

Et le Père Longuemare, prenant ces moqueries pour des signes de dénégation, proclamait qu'il mourrait membre de cet ordre de Saint-Barnabé, dont il portait l'habit dans son cœur.

« Reconnais-tu, demanda le président, avoir conspiré avec la fille Gorcut, dite Athénaïs, qui t'accordait ses méprisables faveurs? »

À cette question, le Père Longuemare leva vers le ciel un regard douloureux et répondit par un silence qui exprimait la surprise d'une âme candide et la gravité d'un religieux qui craint de prononcer de vaines paroles.

« Fille Gorcut, demanda le président à la jeune Athénaïs, reconnais-tu avoir conspiré avec Brotteaux? »

Elle répondit doucement :

« Monsieur Brotteaux, à ma connaissance, n'a fait que du bien. C'est un homme comme il en faudrait beaucoup et comme il n'y a pas meilleur. Ceux qui disent le contraire se trompent. C'est tout ce que j'ai à dire. »

Le président lui demanda si elle reconnaissait avoir vécu en concubinage avec Brotteaux. Il fallut lui expliquer ce terme qu'elle n'entendait pas. Mais, dès qu'elle eut compris de quoi il s'agissait, elle répondit qu'il n'aurait tenu qu'à lui, mais qu'il ne le lui avait pas demandé.

On rit dans les tribunes et le président menaça la fille Gorcut de la mettre hors des débats si elle répondait encore avec un tel cynisme.

Alors elle l'appela cafard, face de carême, cornard, et vomit sur lui, sur les juges et les jurés des potées d'injures, jusqu'à ce que les gendarmes l'eussent tirée de son banc et emmenée hors de la salle.

Le président interrogea ensuite brièvement les autres accusés, dans l'ordre où ils étaient placés sur les gradins. Un nommé Navette répondit qu'il n'avait pu conspirer dans une prison où il n'avait séjourné que quatre jours. Le président fit cette observation que la réponse était à considérer et qu'il priait les citoyens jurés d'en tenir compte. Un certain Bellier répondit de même et le président adressa en sa faveur la même observation au jury. On interpréta cette bienveillance du juge comme l'effet d'une louable équité ou comme un salaire dû à la délation.

Le substitut de l'accusateur public prit la parole. Il ne fit qu'amplifier l'acte d'accusation et posa ces questions :

" Est-il constant que Maurice Brotteaux, Louise Rochemaure, Louis Longuemare, Marthe Gorcut, dite Athénaïs, Eusèbe Rocher, Pierre Guyton-Fabulet, Marcelline Descourtis, etc., etc., ont formé une conjuration dont les moyens sont l'assassinat, la famine, la fabrication de faux assignats et de fausse monnaie, la dépravation de la morale et de l'esprit public, le soulèvement des prisons; le but : la guerre civile, la dissolution de la représentation nationale, le rétablissement de la royauté?

Les jurés se retirèrent dans la chambre des délibérations. Ils se prononcèrent à l'unanimité pour l'affirmative en ce qui concernait tous les accusés, à l'exception des dénommés Navette et Bellier, que le président et, après lui, l'accusateur public avaient mis, en quelque sorte, hors de cause. Gamelin motiva son verdict en ces termes :

" La culpabilité des accusés crève les yeux : leur châtiment importe au salut de la Nation et ils doivent eux-mêmes souhaiter leur supplice comme le seul moyen d'expier leurs crimes. "

Le président prononça la sentence en l'absence de ceux qu'elle concernait. Dans ces grandes journées, contrairement à ce qu'exigeait la loi, on ne rappelait pas les condamnés pour leur lire leur arrêt, sans doute parce qu'on craignait le désespoir d'un si grand nombre de personnes. Vaine crainte, tant la soumission des victimes était alors grande et générale! Le greffier descendit lire le verdict, qui fut entendu dans ce silence et cette tranquillité qui faisaient comparer les condamnés de prairial à des arbres mis en coupe.

La citoyenne Rochemaure se déclara enceinte. Un chirurgien, qui était en même temps juré, fut commis pour la visiter. On la porta évanouie dans son cachot.

« Ah ! soupira le Père Longuemare, ces juges sont des hommes bien dignes de pitié : l'état de leur âme est vraiment déplorable. Ils brouillent tout et confondent un barnabite avec un franciscain. »

L'exécution devait avoir lieu, le jour même, à la « barrière du Trône-Renversé ». Les condamnés, la toilette faite, les cheveux coupés, la chemise échancrée, attendirent le bourreau, parqués comme un bétail dans la petite salle séparée du greffe par une cloison vitrée.

A l'arrivée de l'exécuteur et de ses valets, Brotteaux, qui lisait tranquillement son Lucrèce, mit le signet à la page commencée, ferma le livre, le fourra dans la poche de sa redingote et dit au barnabite :

« Mon révérend Père, ce dont j'enrage, c'est que je ne vous persuaderai pas. Nous allons dormir tous deux notre dernier sommeil, et je ne pourrai pas vous tirer par la manche et vous réveiller pour vous dire : « Vous voyez : « vous n'avez plus ni sentiment ni connaissance; vous « êtes inanimé. Ce qui suit la vie est comme ce qui la « précède. »

Il voulut sourire; mais une atroce douleur lui saisit le cœur et les entrailles et il fut près de défaillir.

Il reprit toutefois :

« Mon Père, je vous laisse voir ma faiblesse. J'aime la vie et ne la quitte point sans regret.

— Monsieur, répondit le moine avec douceur, prenez garde que vous êtes plus brave que moi et que pourtant la mort vous trouble davantage. Que veut dire cela, sinon que je vois la lumière, que vous ne voyez pas encore ?

— Ce pourrait être aussi, dit Brotteaux, que je regrette la vie parce que j'en ai mieux joui que vous, qui l'avez rendue aussi semblable que possible à la mort.

— Monsieur, dit le Père Longuemare en pâlissant, cette heure est grave. Que Dieu m'assiste! Il est certain que nous mourrons sans secours. Il faut que j'aie jadis reçu les sacrements avec tiédeur et d'un cœur ingrat, pour que le Ciel me les refuse aujourd'hui que j'en ai un si pressant besoin. »

Les charrettes attendaient. On y entassa les condamnés, les mains liées. La femme Rochemaure, dont la grossesse n'avait pas été reconnue par le chirurgien, fut hissée dans un des tombereaux. Elle retrouva un peu de son énergie pour observer la foule des spectateurs, espérant contre toute espérance y rencontrer des sauveurs. Ses yeux imploraient. L'affluence était moindre qu'autrefois et les mouvements des esprits moins violents. Quelques femmes seulement criaient : « A mort! » ou raillaient ceux qui allaient mourir. Les hommes haussaient les épaules, détournaient la tête et se taisaient, soit par prudence, soit par respect des lois.

Il y eut un frisson dans la foule quand Athénaïs passa le guichet. Elle avait l'air d'un enfant.

Elle s'inclina devant le religieux :

« Monsieur le curé, lui dit-elle, donnez-moi l'absolution. »

Le Père Longuemare murmura gravement les paroles sacramentelles, et dit :

« Ma fille! vous êtes tombée dans de grands désordres; mais que ne puis-je présenter au Seigneur un cœur aussi simple que le vôtre! »

Elle monta, légère, dans la charrette. Et là, le buste droit, sa tête d'enfant fièrement dressée, elle s'écria :

« Vive le roi! »

Elle fit un petit signe à Brotteaux pour lui montrer qu'il y avait de la place à côté d'elle. Brotteaux aida le barnabite à monter et vint se placer entre le religieux et l'innocente fille.

« Monsieur, dit le Père Longuemare au philosophe

épicurien, je vous demande une grâce : ce Dieu auquel vous ne croyez pas encore, priez-le pour moi. Il n'est pas sûr que vous ne soyez pas plus près de lui que je ne le suis moi-même : un moment en peut décider. Pour que vous deveniez l'enfant privilégié du Seigneur, il ne faut qu'une seconde. Monsieur, priez pour moi. »

Tandis que les roues tournaient en grinçant sur le pavé du long faubourg, le religieux récitait du cœur et des lèvres les prières des agonisants.

Brotteaux se remémorait les vers du poète de la nature : *Sic ubi non erimus*.... Tout lié qu'il était et secoué dans l'infâme charrette, il gardait une attitude tranquille et comme un souci de ses aises. A son côté, Athénaïs, fière de mourir ainsi que la reine de France, jetait sur la foule un regard hautain, et le vieux traitant, contemplant en connaisseur la gorge blanche de la jeune femme, regrettait la lumière du jour.

XXV

Pendant que les charrettes roulaient, entourées de gendarmes, vers la place du Trône-Renversé, menant à la mort Brotteaux et ses complices, Évariste était assis, pensif, sur un banc du jardin des Tuileries. Il attendait Élodie. Le soleil, penchant à l'horizon, criblait de ses flèches enflammées les marronniers touffus. A la grille du jardin, la Renommée, sur son cheval ailé, embouchait sa trompette éternelle. Les porteurs de journaux criaient la grande victoire de Fleurus.

“ Oui, songeait Gamelin, la victoire est à nous. Nous y avons mis le prix. ”

Il voyait les mauvais généraux traîner leurs ombres condamnées dans la poussière sanglante de cette place de la Révolution où ils avaient péri. Et il sourit fièrement, songeant que, sans les sévérités dont il avait eu sa part, les chevaux autrichiens mordraient aujourd'hui l'écorce de ces arbres.

Il s'écria en lui-même :

“ Terreur salutaire, ô sainte terreur! L'année passée, à pareille époque, nous avions pour défenseurs d'héroïques vaincus en guenilles; le sol de la patrie était envahi, les deux tiers des départements en révolte. Maintenant nos armées bien équipées, bien instruites, commandées par d'habiles généraux, prennent l'offensive, prêtes à porter la liberté par le monde. La paix règne sur tout le territoire de la République.... Terreur salutaire! ô sainte terreur! aimable guillotine! L'année passée, à pareille époque, la République était déchirée par les factions; l'hydre du fédéralisme menaçait de la dévorer. Maintenant l'unité jacobine étend sur l'empire sa force et sa sagesse.... "

Cependant il était sombre. Un pli profond lui barrait le front; sa bouche était amère. Il songeait : " Nous disions : *Vaincre ou mourir*. Nous nous trompions, c'est *vaincre et mourir* qu'il fallait dire. "

Il regardait autour de lui. Les enfants faisaient des tas de sable. Les citoyennes sur leur chaise de bois, au pied des arbres, brodaient ou cousaient. Les passants en habit et culotte d'une élégance étrange, songeant à leurs affaires ou à leurs plaisirs, regagnaient leur demeure. Et Gamelin se sentait seul parmi eux : il n'était ni leur compatriote ni leur contemporain. Que s'était-il donc passé? Comment à l'enthousiasme des belles années avaient succédé l'indifférence, la fatigue et, peut-être, le dégoût? Visiblement, ces gens-là ne voulaient plus entendre parler du Tribunal révolutionnaire et se détournaient de la guillotine. Devenue trop importune sur la place de la Révolution, on l'avait renvoyée au bout du faubourg Antoine. Là même, au passage des charrettes, on murmurait. Quelques voix, dit-on, avaient crié : " Assez! "

Assez, quand il y avait encore des traîtres, des conspirateurs! Assez, quand il fallait renouveler les comités, épurer la Convention! Assez, quand des scélérats déshonoraient la représentation nationale! Assez, quand on méditait jusque dans le Tribunal révolutionnaire la perte du Juste! Car, chose horrible à penser et trop véritable! Fouquier lui-même ourdissait des trames, et c'était pour perdre Maximilien qu'il lui avait immolé pompeusement cinquante-sept victimes traînées à la mort dans la chemise rouge des parricides. A quelle pitié criminelle cédait la France? Il fallait donc la sauver malgré elle et, lorsqu'elle criait grâce, se boucher les oreilles et frapper. Hélas! les destins l'avaient résolu : la patrie maudissait ses sauveurs. Qu'elle nous maudisse et qu'elle soit sauvée!

" C'est trop peu que d'immoler des victimes obscures, des aristocrates, des financiers, des publicistes, des poètes, un Lavoisier, un Roucher, un André Chénier. Il faut frapper ces scélérats tout-puissants qui, les mains pleines d'or et dégouttantes de sang, préparent la ruine de la Montagne, les Foucher, les Tallien, les Rovère, les Carrier, les Bourdon. Il faut délivrer l'État de tous ses ennemis. Si Hébert avait triomphé, la Convention était renversée, la République roulait aux abîmes; si Desmoulins et Danton avaient triomphé, la Convention, sans vertus, livrait la République aux aristocrates, aux agioteurs et aux généraux. Si les Tallien, les Fouché, monstres gorgés de sang et de rapines, triomphent, la France se noie dans le crime et l'infamie.... Tu dors, Robespierre, tandis que des criminels ivres de fureur et d'effroi méditent ta mort et les funérailles de la liberté. Couthon, Saint-Just, que tardez-vous à dénoncer les complots?

" Quoi! l'ancien État, le monstre royal assurait son empire en emprisonnant chaque année quatre cent mille hommes, en en pendant quinze mille, en en rouant trois mille, et la République hésiterait encore à sacrifier quelques centaines de têtes à sa sûreté et à sa puissance! Noyons-nous dans le sang et sauvons la patrie.... "

Comme il songeait ainsi, Élodie accourut à lui pâle et défaite :

" Évariste, qu'as-tu à me dire? Pourquoi ne pas venir à l'*Amour peintre*, dans la chambre bleue? Pourquoi m'as-tu fait venir ici?

— Pour te dire un éternel adieu. "

Elle murmura qu'il était insensé, qu'elle ne pouvait comprendre....

Il l'arrêta d'un très petit geste de la main :

« Élodie, je ne puis plus accepter ton amour.

— Tais-toi, Évariste, tais-toi ! »

Elle le pria d'aller plus loin : là, on les observait, on les écoutait.

Il fit une vingtaine de pas et poursuivit, très calme :

« J'ai fait à ma patrie le sacrifice de ma vie et de mon honneur. Je mourrai infâme, et n'aurai à te léguer, malheureuse, qu'une mémoire exécrée.... Nous aimer? Est-ce que l'on peut m'aimer encore?... Est-ce que je puis aimer? »

Elle lui dit qu'il était fou; qu'elle l'aimait, qu'elle l'aimerait toujours. Elle fut ardente, sincère; mais elle sentait aussi bien que lui, elle sentait mieux que lui qu'il avait raison. Et elle se débattait contre l'évidence.

Il reprit :

« Je ne me reproche rien. Ce que j'ai fait, je le ferais encore. Je me suis fait anathème pour la patrie. Je suis maudit. Je me suis mis hors l'humanité : je n'y rentrerai jamais. Non! la grande tâche n'est pas finie. Ah! la clémence, le pardon!... Les traîtres pardonnent-ils? Les conspirateurs sont-ils cléments? Les scélérats parricides croissent sans cesse en nombre; il en sort de dessous terre, il en accourt de toutes nos frontières : de jeunes hommes, qui eussent mieux péri dans nos armées, des vieillards, des enfants, des femmes, avec les masques de l'innocence, de la pureté, de la grâce. Et quand on les a immolés, on en trouve davantage.... Tu vois bien qu'il faut que je renonce à l'amour, à toute joie, à toute douceur de la vie, à la vie elle-même. »

Il se tut. Faite pour goûter de paisibles jouissances, Élodie depuis plus d'un jour s'effrayait de mêler, sous les baisers d'un amant tragique, aux impressions voluptueuses des images sanglantes : elle ne répondit rien. Évariste but comme un calice amer le silence de la jeune femme.

« Tu le vois bien, Élodie : nous sommes précipités; notre œuvre nous dévore. Nos jours, nos heures sont des années. J'aurai bientôt vécu un siècle. Vois ce front! Est-il d'un amant? Aimer!...

— Évariste, tu es à moi, je te garde; je ne te rends pas ta liberté. "

Elle s'exprimait avec l'accent du sacrifice. Il le sentit; elle le sentit elle-même.

" Élodie, pourras-tu attester, un jour, que je vécus fidèle à mon devoir, que mon cœur fut droit et mon âme pure, que je n'eus d'autre passion que le bien public; que j'étais né sensible et tendre? Diras-tu : " Il fit son devoir? " Mais non! tu ne le diras pas. Et je ne te demande pas de le dire. Périsse ma mémoire! Ma gloire est dans mon cœur; la honte m'environne. Si tu m'aimas, garde sur mon nom un éternel silence. "

Un enfant de huit ou neuf ans, qui jouait au cerceau, se jeta en ce moment dans les jambes de Gamelin.

Celui-ci l'éleva brusquement dans ses bras :

" Enfant! tu grandiras libre, heureux, et tu le devras à l'infâme Gamelin. Je suis atroce pour que tu sois heureux. Je suis cruel pour que tu sois bon, je suis impitoyable pour que demain tous les Français s'embrassent en versant des larmes de joie. "

Il le pressa contre sa poitrine :

" Petit enfant, quand tu seras un homme, tu me devras ton bonheur, ton innocence; et, si jamais tu entends prononcer mon nom, tu l'exécreras. "

Et il posa à terre l'enfant, qui s'alla jeter épouvanté dans les jupes de sa mère, accourue pour le délivrer.

Cette jeune mère, qui était jolie et d'une grâce aristocratique, dans sa robe de linon blanc, emmena son petit garçon avec un air de hauteur.

Gamelin tourna vers Élodie un regard farouche :

" J'ai embrassé cet enfant; peut-être ferai-je guillotiner sa mère. "

Et il s'éloigna, à grands pas, sous les quinconces.

Élodie resta un moment immobile, le regard fixe et baissé. Puis, tout à coup, elle s'élança sur les pas de son amant, et, furieuse, échevelée, telle qu'une ménade, elle le saisit comme pour le déchirer et lui cria d'une voix étranglée de sang et de larmes :

" Eh bien! moi aussi, mon bien-aimé, envoie-moi à la guillotine; moi aussi, fais-moi trancher la tête! "

Et, à l'idée du couteau sur sa nuque, toute sa chair se fondait d'horreur et de volupté.

XXVI

Tandis que le soleil de thermidor se couchait dans une pourpre sanglante, Évariste errait, sombre et soucieux, par les jardins Marbeuf, devenus propriété nationale et fréquentés des Parisiens oisifs. On y prenait de la limonade et des glaces; il y avait des chevaux de bois et des tirs pour les jeunes patriotes. Sous un arbre, un petit Savoyard en guenilles, coiffé d'un bonnet noir, faisait danser une marmotte au son aigre de sa vielle. Un homme, jeune encore, svelte, en habit bleu, les cheveux poudrés, accompagné d'un grand chien, s'arrêta pour écouter cette musique agreste. Évariste reconnut Robespierre. Il le retrouvait pâli, amaigri, le visage durci et traversé de plis douloureux. Et il songea : " Quelles fatigues, et combien de souffrances ont laissé leur empreinte sur son front? Qu'il est pénible de travailler au bonheur des hommes! A quoi songe-t-il en ce moment? Le son de la vielle montagnarde le distrait-il du souci des affaires? Pense-t-il qu'il a fait un pacte avec la mort et que l'heure est proche de le tenir? Médite-t-il de rentrer en vainqueur dans ce comité de Salut public dont il s'est retiré, las d'y être tenu en échec, avec Couthon et Saint-Just, par une majorité séditieuse? Derrière cette face impénétrable quelles espérances s'agitent ou quelles craintes? "

Pourtant Maximilien sourit à l'enfant, lui fit d'une voix douce, avec bienveillance, quelques questions sur la vallée, la chaumière, les parents que le pauvre petit avait quittés, lui jeta une petite pièce d'argent et reprit sa promenade. Après avoir fait quelques pas, il se retourna pour appeler son chien qui, sentant le rat, montrait les dents à la marmotte hérissée.

“ Brount! Brount! ”

Puis il s'enfonça dans les allées sombres.

Gamelin, par respect, ne s'approcha pas du promeneur solitaire; mais, contemplant la forme mince qui s'effaçait dans la nuit, il lui adressa cette oraison mentale :

“ J'ai vu ta tristesse, Maximilien; j'ai compris ta pensée. Ta mélancolie, ta fatigue et jusqu'à cette expression d'effroi empreinte dans tes regards, tout en toi dit : “ Que la “ terreur s'achève et que la fraternité commence! Fran- “ çais, soyez unis, soyez vertueux, soyez bons. Aimez- “ vous les uns les autres.... ” Eh bien! je servirai tes desseins; pour que tu puisses, dans ta sagesse et ta bonté, mettre fin aux discordes civiles, éteindre les haines fratricides, faire du bourreau un jardinier qui ne tranchera plus que les têtes des choux et des laitues, je préparerai avec mes collègues du Tribunal les voies de la clémence, en exterminant les conspirateurs et les traitres. Nous redoublerons de vigilance et de sévérité. Aucun coupable ne nous échappera. Et quand la tête du dernier des ennemis de la République sera tombée sous le couteau, tu pourras être indulgent sans crime et faire régner l'innocence et la vertu sur la France, ô père de la patrie! ”

L'Incorruptible était déjà loin. Deux hommes en chapeau rond et culotte de nankin, dont l'un, d'aspect farouche, long et maigre, avait un dragon sur l'œil et ressemblait à Tallien, le croisèrent au tournant d'une allée, lui jetèrent un regard oblique et, feignant de ne point le reconnaître, passèrent. Quand ils furent à une assez grande distance pour n'être pas entendus, ils murmurèrent à voix basse :

“ Le voilà donc, le roi, le pape, le dieu. Car il est Dieu. Et Catherine Théot est sa prophétesse.

— Dictateur, traître, tyran! il est encore des Brutus.

— Tremble, scélérat! la roche Tarpéienne est près du Capitole. ”

Le chien Brount s’approcha d’eux. Ils se turent et hâtèrent le pas.

XXVII

Tu dors, Robespierre! L'heure passe, le temps précieux coule....

Enfin, le 8 thermidor, à la Convention, l'Incorruptible se lève et va parler. Soleil du 31 mai, te lèves-tu une seconde fois? Gamelin attend, espère. Robespierre va donc arracher des bancs qu'ils déshonorent ces législateurs plus coupables que les fédéralistes, plus dangereux que Danton.... Non! pas encore. " Je ne puis, dit-il, me résoudre à déchirer entièrement le voile qui recouvre ce profond mystère d'iniquité. " Et la foudre éparpillée, sans frapper aucun des conjurés, les effraie tous. On en comptait soixante qui, depuis quinze jours, n'osaient coucher dans leur lit. Marat nommait les traîtres, lui; il les montrait du doigt. L'Incorruptible hésite, et, dès lors, c'est lui l'accusé....

Le soir, aux Jacobins, on s'étouffe dans la salle, dans les couloirs, dans la cour.

Ils sont là tous, les amis bruyants et les ennemis muets. Robespierre leur lit ce discours que la Convention a entendu dans un silence affreux et que les jacobins couvrent d'applaudissements émus.

" C'est mon testament de mort, dit l'homme, vous me verrez boire la ciguë avec calme.

— Je la boirai avec toi, répond David.

— Tous, tous! " s'écrient les jacobins, qui se séparent sans rien décider.

Évariste, pendant que se préparait la mort du Juste, dormit du sommeil des disciples au jardin des Oliviers. Le lendemain, il se rendit au Tribunal, où deux sections siégeaient. Celle dont il faisait partie jugeait vingt et un complices de la conspiration de Lazare. Et, pendant ce temps, arrivaient les nouvelles : " La Convention, après une séance de six heures, a décrété d'accusation Maximilien Robespierre, Couthon, Saint-Just avec Augustin Robespierre et Lebas, qui ont demandé à partager le sort des accusés. Les cinq proscrits sont descendus à la barre. "

On apprend que le président de la section qui fonctionne dans la salle voisine, le citoyen Dumas, a été arrêté sur son siège, mais que l'audience continue. On entend battre la générale et sonner le tocsin.

Évariste, à son banc, reçoit de la Commune l'ordre de se rendre à l'Hôtel de Ville pour siéger au Conseil général. Au son des cloches et des tambours, il rend son verdict avec ses collègues et court chez lui embrasser sa mère et prendre son écharpe. La place de Thionville est déserte. La section n'ose se prononcer ni pour ni contre la Convention. On rase les murs, on se coule dans les allées, on rentre chez soi. A l'appel du tocsin et de la générale répondent les bruits des volets qui se rabattent et des serrures qui se ferment. Le citoyen Dupont aîné s'est caché dans sa boutique; le portier Remacle se barricade dans sa loge. La petite Joséphine retient craintivement Mouton dans ses bras. La citoyenne veuve Gamelin gémit de la cherté des vivres, cause de tout le mal. Au pied de l'escalier, Évariste rencontre Élodie essoufflée, ses mèches noires collées sur son cou moite.

" Je t'ai cherché au Tribunal. Tu venais de partir. Où vas-tu?

— A l'Hôtel de Ville.

— N'y va pas! Tu te perdrais : Hanriot est arrêté... les sections ne marcheront pas. La section des Piques, la section de Robespierre, reste tranquille. Je le sais : mon père en fait partie. Si tu vas à l'Hôtel de Ville, tu te perds inutilement.

— Tu veux que je sois lâche?

— Il est courageux, au contraire, d'être fidèle à la Convention et d'obéir à la loi.

— La loi est morte quand les scélérats triomphent.

— Évariste, écoute ton Élodie; écoute ta sœur; viens t'asseoir près d'elle, pour qu'elle apaise ton âme irritée. "

Il la regarda : jamais elle ne lui avait paru si désirable; jamais cette voix n'avait sonné à ses oreilles si voluptueuse et si persuasive.

" Deux pas, deux pas seulement, mon ami! "

Elle l'entraîna vers le terre-plein qui portait le piédestal de la statue renversée. Des bancs en faisaient le tour, garnis de promeneurs et de promeneuses. Une marchande de frivolités offrait ses dentelles; le marchand de tisane, portant sur son dos sa fontaine, agitait sa sonnette; des fillettes jouaient aux grâces. Sur la berge, des pêcheurs se tenaient immobiles, leur ligne à la main. Le temps était orageux, le ciel voilé. Gamelin, penché sur le parapet, plongeait ses regards sur l'île pointue comme une proue, écoutait gémir au vent la cime des arbres, et sentait entrer dans son âme un désir infini de paix et de solitude.

Et, comme un écho délicieux de sa pensée, la voix d'Élodie soupira :

" Te souviens-tu, quand, à la vue des champs, tu désirais être juge de paix dans un petit village? Ce serait le bonheur. "

Mais, à travers le bruissement des arbres et la voix de la femme, il entendait le tocsin, la générale, le fracas lointain des chevaux et des canons sur le pavé.

A deux pas de lui, un jeune homme, qui causait avec une citoyenne élégante, dit :

“ Connaissez-vous la nouvelle?... L’Opéra est installé rue de la Loi. ”

Cependant on savait : on chuchotait le nom de Robespierre, mais en tremblant, car on le craignait encore. Et les femmes, au bruit murmuré de sa chute, dissimulaient un sourire.

Évariste Gamelin saisit la main d’Élodie et aussitôt la rejeta brusquement :

“ Adieu! Je t’ai associée à mes destins affreux, j’ai flétri à jamais ta vie. Adieu. Puisses-tu m’oublier!

— Surtout, lui dit-elle, ne rentre pas chez toi cette nuit : viens à l’*Amour peintre*. Ne sonne pas; jette une pierre contre mes volets. J’irai t’ouvrir moi-même la porte, je te cacherai dans le grenier.

— Tu me reverras triomphant, ou tu ne me reverras plus. Adieu! ”

En approchant de l’Hôtel de Ville, il entendit monter vers le ciel lourd la rumeur des grands jours. Sur la place de Grève, un tumulte d’armes, un flamboiement d’écharpes et d’uniformes, les canons d’Hanriot en batterie. Il gravit l’escalier d’honneur et, en entrant dans la salle du Conseil, signe la feuille de présence. Le Conseil général de la Commune, à l’unanimité des quatre cent quatre-vingt-onze membres présents, se déclare pour les proscrits.

Le maire se fait apporter la table des Droits de l’Homme, lit l’article où il est dit : “ Quand le gouvernement viole les droits du peuple, l’insurrection est pour le peuple le plus saint et le plus indispensable des devoirs ”, et le premier magistrat de Paris déclare qu’au coup d’État de la Convention la Commune oppose l’insurrection populaire.

Les membres du Conseil général font serment de mourir à leur poste. Deux officiers municipaux sont chargés de se rendre sur la place de Grève et d’inviter le peuple à se joindre à ses magistrats afin de sauver la patrie et la liberté.

On se cherche, on échange des nouvelles, on donne des avis. Parmi ces magistrats, peu d'artisans. La Commune réunie là est telle que l'a faite l'épuration jacobine : des juges et des jurés du Tribunal révolutionnaire, des artistes comme Beauvallet et Gamelin, des rentiers et des professeurs, des bourgeois cossus, de gros commerçants, des têtes poudrées, des ventres à breloques; peu de sabots, de pantalons, de carmagnoles, de bonnets rouges. Ces bourgeois sont nombreux, résolus. Mais, quand on y songe, c'est à peu près tout ce que Paris compte de vrais républicains. Debout dans la maison de ville, comme sur le rocher de la liberté, un océan d'indifférence les environne.

Pourtant des nouvelles favorables arrivent. Toutes les prisons où les proscrits ont été enfermés ouvrent leurs portes et rendent leur proie. Augustin Robespierre, venu de la Force, entre le premier à l'Hôtel de Ville et est acclamé. On apprend, à huit heures, que Maximilien, après avoir longtemps résisté, se rend à la Commune. On l'attend, il va venir, il vient; une acclamation formidable ébranle les voûtes du vieux palais municipal. Il entre, porté par vingt bras. Cet homme mince, propret, en habit bleu et culotte jaune, c'est lui. Il siège, il parle.

A son arrivée, le Conseil ordonne que la façade de la maison Commune sera sur-le-champ illuminée. En lui la République réside. Il parle, il parle d'une voix grêle, avec élégance. Il parle purement, abondamment. Ceux qui sont là, qui ont joué leur vie sur sa tête, s'aperçoivent, épouvantés, que c'est un homme de parole, un homme de comités, de tribune, incapable d'une résolution prompte et d'un acte révolutionnaire.

On l'entraîne dans la salle des délibérations. Maintenant ils sont là tous, ces illustres proscrits : Lebas, Saint-Just, Couthon. Robespierre parle. Il est minuit et demi : il parle encore. Cependant Gamelin, dans la salle du Conseil, le front collé à une fenêtre, regarde d'un œil anxieux;

il voit fumer les lampions dans la nuit sombre. Les canons d'Hanriot sont en batterie devant la maison de ville. Sur la place toute noire s'agite une foule incertaine, inquiète. A minuit et demi, des torches débouchent au coin de la rue de la Vannerie, entourant un délégué de la Convention qui, revêtu de ses insignes, déploie un papier et lit, dans une rouge lueur, le décret de la Convention, la mise hors la loi des membres de la Commune insurgée, des membres du Conseil général qui l'assistent et des citoyens qui répondraient à son appel.

La mise hors la loi, la mort sans jugement! la seule idée en fait pâlir les plus déterminés. Gamelin sent son front se glacer. Il regarde la foule quitter à grands pas la place de Grève.

Et, quand il tourne la tête, ses yeux voient que la salle, où les conseillers s'étouffaient tout à l'heure, est presque vide.

Mais ils ont fui en vain : ils avaient signé.

Il est deux heures. L'Incorruptible délibère dans la salle voisine avec la Commune et les représentants proscrits.

Gamelin plonge ses regards désespérés sur la place noire. Il voit, à la clarté des lanternes, les chandelles de bois s'entrechoquer sur l'auvent de l'épicier, avec un bruit de quilles; les réverbères se balancent et vacillent : un grand vent s'est élevé. Un instant après, une pluie d'orage tombe : la place se vide entièrement; ceux que n'avait pas chassés le terrible décret, quelques gouttes d'eau les dispersent. Les canons d'Hanriot sont abandonnés. E quand on voit à la lueur des éclairs déboucher en mê temps par la rue Antoine et par le quai les troupes de Convention, les abords de la maison Commune so déserts.

Enfin Maximilien s'est décidé à faire appel du décr de la Convention à la section des Piques.

Le Conseil général se fait apporter des sabres, des pistolets, des fusils. Mais un fracas d'armes, de pas et de vitres brisées emplit la maison. Les troupes de la Convention passent comme une avalanche à travers la salle des délibérations et s'engouffrent dans la salle du Conseil. Un coup de feu retentit : Gamelin voit Robespierre tomber la mâchoire fracassée. Lui-même, il saisit son couteau, le couteau de six sous qui, un jour de famine, avait coupé du pain pour une mère indigente, et que, dans la ferme d'Orangis, par un beau soir, Élodie avait gardé sur ses genoux, en tirant les gages; il l'ouvre, veut l'enfoncer dans son cœur : la lame rencontre une côte et se replie sur la virole qui a cédé et il s'entame deux doigts. Gamelin tombe ensanglanté. Il est sans mouvement, mais il souffre d'un froid cruel, et, dans le tumulte d'une lutte effroyable, foulé aux pieds, il entend distinctement la voix du jeune dragon Henry qui s'écrie :

" Le tyran n'est plus; ses satellites sont brisés. La Révolution va reprendre son cours majestueux et terrible. "

Gamelin s'évanouit.

A sept heures du matin, un chirurgien envoyé par la Convention le pansa. La Convention était pleine de sollicitude pour les complices de Robespierre : elle ne voulait pas qu'aucun d'eux échappât à la guillotine. L'artiste peintre, ex-juré, ex-membre du Conseil général de la Commune, fut porté sur une civière à la Conciergerie.

XXVIII

Le 10, tandis que, sur le grabat d'un cachot, Évariste, après un sommeil de fièvre, se réveillait en sursaut dans une indicible horreur, Paris, en sa grâce et son immensité, souriait au soleil; l'espérance renaissait au cœur des prisonniers; les marchands ouvraient allégrement leur boutique, les bourgeois se sentaient plus riches, les jeunes hommes plus heureux, les femmes plus belles, par la chute de Robespierre. Seuls une poignée de jacobins, quelques prêtres constitutionnels et quelques vieilles femmes tremblaient de voir l'empire passer aux méchants et aux corrompus. Une délégation du Tribunal révolutionnaire, composée de l'accusateur public et de deux juges, se rendait à la Convention, pour la féliciter d'avoir arrêté les complots. L'assemblée décidait que l'échafaud serait dressé de nouveau sur la place de la Révolution. On voulait que les riches, les élégants, les jolies femmes pussent voir sans se déranger le supplice de Robespierre, qui aurait lieu le jour même. Le dictateur et ses complices étaient hors la loi : il suffisait que leur identité fût constatée par deux officiers municipaux pour que le Tribunal les livrât immédiatement à l'exécuteur. Mais une difficulté surgissait : les constatations ne pouvaient être faites dans les formes, la Commune étant tout entière hors la loi. L'assemblée autorisa le Tribunal à faire constater l'identité par des témoins ordinaires.

Les triumvirs furent traînés à la mort, avec leurs principaux complices, au milieu des cris de joie et de fureur, des imprécations, des rires, des danses.

Le lendemain, Évariste, qui avait repris quelque force et pouvait presque se tenir sur ses jambes, fut tiré de son cachot, amené au Tribunal et placé sur l'estrade qu'il avait tant de fois vue chargée d'accusés, où s'étaient assises tour à tour tant de victimes illustres ou obscures. Elle gémissait maintenant sous le poids de soixante-dix individus, la plupart membres de la Commune, et quelques-uns jurés comme Gamelin, mis comme lui hors la loi. Il revit son banc, le dossier sur lequel il avait coutume de s'appuyer, la place d'où il avait terrorisé des malheureux, la place où il lui avait fallu subir le regard de Jacques Maubel, de Fortuné Chassagne, de Maurice Brotteaux, les yeux suppliants de la citoyenne Rochemaure qui l'avait fait nommer juré et qu'il en avait récompensée par un verdict de mort. Il revit, dominant l'estrade où les juges siégeaient sur trois fauteuils d'acajou, garnis de velours d'Utrecht rouge, les bustes de Chalier et de Marat et ce buste de Brutus qu'il avait un jour attesté. Rien n'était changé, ni les haches, les faisceaux, les bonnets rouges du papier de tenture, ni les outrages jetés par les tricoteuses des tribunes à ceux qui allaient mourir, ni l'âme de Fouquier-Tinville, têtu, laborieux, remuant avec zèle ses papiers homicides, et envoyant, magistrat accompli, ses amis de la veille à l'échafaud.

Les citoyens Remacle, portier tailleur, et Dupont aîné, menuisier, place de Thionville, membre du Comité de surveillance de la section du Pont-Neuf, reconnurent Gamelin (Évariste), artiste peintre, ex-juré au Tribunal révolutionnaire, ex-membre du Conseil général de la Commune. Ils témoignaient pour un assignat de cent sols, aux frais de la section; mais, parce qu'ils avaient eu des rapports de voisinage et d'amitié avec le proscrit, ils éprouvaient de la gêne à rencontrer son regard. Au reste, il faisait chaud : ils avaient soif et étaient pressés d'aller boire un verre de vin.

Gamelin fit effort pour monter dans la charrette : il avait perdu beaucoup de sang et sa blessure le faisait cruellement souffrir. Le cocher fouetta sa haridelle et le cortège se mit en marche au milieu des huées.

Des femmes qui reconnaissaient Gamelin lui criaient :

" Va donc! buveur de sang! Assassin à dix-huit francs par jour!... Il ne rit plus : voyez comme il est pâle, le lâche! "

C'étaient les mêmes femmes qui insultaient naguère les conspirateurs et les aristocrates, les exagérés et les indulgents envoyés par Gamelin et ses collègues à la guillotine.

La charrette tourna sur le quai des Morfondus, gagna lentement le Pont-Neuf et la rue de la Monnaie : on allait à la place de la Révolution, à l'échafaud de Robespierre. Le cheval boitait; à tout moment, le cocher lui effleurait du fouet les oreilles. La foule des spectateurs, joyeuse, animée, retardait la marche de l'escorte. Le public félicitait les gendarmes, qui retenaient leurs chevaux. Au coin de la rue Honoré, les insultes redoublèrent. Des jeunes gens, attablés à l'entresol, dans les salons des traiteurs à la mode, se mirent aux fenêtres, leur serviette à la main, et crièrent :

" Cannibales, anthropophages, vampires! "

La charrette ayant buté dans un tas d'ordures qu'on n'avait pas enlevées en ces deux jours de troubles, la jeunesse dorée éclata de joie :

" Le char embourbé!... Dans la gadoue, les jacobins! "

Gamelin songeait, et il crut comprendre.

" Je meurs justement, pensa-t-il. Il est juste que nous recevions ces outrages jetés à la République et dont nous aurions dû la défendre. Nous avons été faibles; nous nous sommes rendus coupables d'indulgence. Nous avons trahi la République. Nous avons mérité notre sort. Robespierre lui-même, le pur, le saint, a péché par douceur, par mansuétude; ses fautes sont effacées par son martyre. A son exemple, j'ai trahi la République; elle périt : il est juste que je meure avec elle. J'ai épargné le sang : que mon sang coule! Que je périsse! je l'ai mérité.... "

Tandis qu'il songeait ainsi, il aperçut l'enseigne de l'*Amour peintre*, et des torrents d'amertume et de douceur roulèrent en tumulte dans son cœur.

Le magasin était fermé, les jalousies des trois fenêtres de l'entresol entièrement rabattues. Quand la charrette passa devant la fenêtre de gauche, la fenêtre de la chambre bleue, une main de femme, qui portait à l'annulaire une bague d'argent, écarta le bord de la jalousie et lança vers Gamelin un œillet rouge que ses mains liées ne purent saisir, mais qu'il adora comme le symbole et l'image de ces lèvres rouges et parfumées dont s'était rafraîchie sa bouche. Ses yeux se gonflèrent de larmes et ce fut tout pénétré du charme de cet adieu qu'il vit se lever sur la place de la Révolution le couteau ensanglanté.

XXIX

La Seine charriait les glaces de nivôse. Les bassins des Tuileries, les ruisseaux, les fontaines étaient gelés. Le vent du Nord soulevait dans les rues des ondes de frimas. Les chevaux expiraient par les naseaux une vapeur blanche; les citadins regardaient en passant le thermomètre à la porte des opticiens. Un commis essuyait la buée sur les vitres de l'*Amour peintre* et les curieux jetaient un regard sur les estampes à la mode : Robespierre pressant au-dessus d'une coupe un cœur comme un citron, pour en boire le sang, et de grandes pièces allégoriques telles que la *Tigrocratie de Robespierre* : ce n'était qu'hydres, serpents, monstres affreux déchaînés sur la France par le tyran. Et l'on voyait encore : l'*Horrible Conspiration de Robespierre*, l'*Arrestation de Robespierre*, la *Mort de Robespierre*.

Ce jour-là, après le dîner de midi, Philippe Desmahis entra, son carton sous le bras, à l'*Amour peintre* et apporta au citoyen Jean Blaise une planche qu'il venait de graver au pointillé, le *Suicide de Robespierre*. Le burin picaresque du graveur avait fait Robespierre aussi hideux que possible. Le peuple français n'était pas encore saoul de tous ces monuments qui consacraient l'opprobre et l'horreur de cet homme chargé de tous les crimes de la Révolution. Pourtant le marchand d'estampes, qui connaissait le public, avertit Desmahis qu'il lui donnerait désormais à graver des sujets militaires.

“ Il va nous falloir des victoires et conquêtes, des sabres, des panaches, des généraux. Nous sommes partis pour la gloire. Je sens cela en moi; mon cœur bat au récit des exploits de nos vaillantes armées. Et quand j'éprouve un sentiment, il est rare que tout le monde ne l'éprouve pas en même temps. Ce qu'il nous faut, ce sont des guerriers et des femmes, Mars et Vénus.

— Citoyen Blaise, j'ai encore chez moi deux ou trois dessins de Gamelin, que vous m'avez donnés à graver. Est-ce pressé?

— Nullement.

— A propos de Gamelin : hier, en passant sur le boulevard du Temple, j'ai vu chez un brocanteur, qui a son échoppe vis-à-vis la maison de Beaumarchais, toutes les toiles de ce malheureux. Il y avait là son *Oreste et Électre*. La tête de l'Oreste, qui ressemble à Gamelin, est vraiment belle, je vous assure... la tête et le bras sont superbes.... Le brocanteur m'a dit qu'il n'était pas embarrassé de vendre ces toiles à des artistes qui peindront dessus.... Ce pauvre Gamelin! il aurait eu peut-être un talent de premier ordre, s'il n'avait pas fait de politique.

— Il avait l'âme d'un criminel! répliqua le citoyen Blaise. Je l'ai démasqué, à cette place même, alors que ses instincts sanguinaires étaient encore contenus. Il ne me l'a jamais pardonné.... Ah! c'était une belle canaille.

— Le pauvre garçon! il était sincère. Ce sont les fanatiques qui l'ont perdu.

— Vous ne le défendez pas, je pense, Desmahis!... Il n'est pas défendable.

— Non, citoyen Blaise, il n'est pas défendable. ”

Et le citoyen Blaise tapant sur l'épaule du beau Desmahis :

“ Les temps sont changés. On peut vous appeler “ Barbaroux ”, maintenant que la Convention rappelle les proscrits.... J'y songe : Desmahis, gravez-moi donc un portrait de Charlotte Corday. ”

Une femme grande et belle, brune, enveloppée de fourrures, entra dans le magasin et fit au citoyen Blaise un petit salut intime et discret. C'était Julie Gamelin; mais elle ne portait plus ce nom déshonoré : elle se faisait appeler " la citoyenne veuve Chassagne " et était habillée, sous son manteau, d'une tunique rouge, en l'honneur des chemises rouges de la Terreur.

Julie avait d'abord senti de l'éloignement pour l'amante d'Évariste : tout ce qui avait touché à son frère lui était odieux. Mais la citoyenne Blaise, après la mort d'Évariste, avait recueilli la malheureuse mère dans les combles de la maison de l'*Amour peintre*. Julie s'y était aussi réfugiée; puis elle avait retrouvé une place dans la maison de modes de la rue des Lombards. Ses cheveux courts, " à la victime ", son air aristocratique, son deuil lui attiraient les sympathies de la jeunesse dorée. Jean Blaise, que Rose Thévenin avait à demi quitté, lui offrit des hommages qu'elle accepta. Cependant Julie aimait à porter, comme aux jours tragiques, des vêtements d'homme : elle s'était fait faire un bel habit de muscadin et allait souvent, un énorme bâton à la main, souper dans quelque cabaret de Sèvres ou de Meudon avec une demoiselle de modes. Inconsolable de la mort du jeune ci-devant dont elle portait le nom, cette mâle Julie ne trouvait de réconfort à sa tristesse que dans sa fureur, et, quand elle rencontrait des jacobins, elle ameutait contre eux les passants en poussant des cris de mort. Il lui restait peu de temps à donner à sa mère qui, seule dans sa chambre, disait toute la journée son chapelet, trop accablée de la fin tragique de son fils pour en sentir de la douleur. Rose était devenue la compagne assidue d'Élodie, qui décidément s'accordait avec ses belles-mères.

" Où est Élodie? " demanda la citoyenne Chassagne.

Jean Blaise fit signe qu'il ne le savait pas. Il ne le savait jamais : il en faisait une ligne de conduite.

Julie venait la prendre pour aller voir, en sa compagnie, la Thévenin à Monceaux, où la comédienne habitait une petite maison avec un jardin anglais.

A la Conciergerie, la Thévenin avait connu un gros fournisseur des armées, le citoyen Montfort. Sortie la première, à la sollicitation de Jean Blaise, elle obtint l'élargissement du citoyen Montfort, qui, sitôt libre, fournit des vivres aux troupes et spécula sur les terrains du quartier de la Pépinière. Les architectes Ledoux, Olivier et Wailly y construisaient de jolies maisons, et le terrain y avait, en trois mois, triplé de valeur. Montfort était, depuis la prison du Luxembourg, l'amant de la Thévenin : il lui donna un petit hôtel situé près de Tivoli et de la rue du Rocher, qui valait fort cher et ne lui coûtait rien, la vente des lots voisins l'ayant déjà plusieurs fois remboursé. Jean Blaise était galant homme; il pensait qu'il faut souffrir ce qu'on ne peut empêcher : il abandonna la Thévenin à Montfort sans se brouiller avec elle.

Élodie, peu de temps après l'arrivée de Julie à l'*Amour peintre*, descendit toute parée au magasin. Sous son manteau, malgré la rigueur de la saison, elle était nue dans sa robe blanche; son visage avait pâli, sa taille s'était amincie, ses regards coulaient alanguis et toute sa personne respirait la volupté.

Les deux femmes allèrent chez la Thévenin qui les attendait. Desmahis les accompagna : l'actrice le consultait pour la décoration de son hôtel et il aimait Élodie qui était à ce moment plus qu'à demi résolue à ne pas le laisser souffrir davantage. Quand les deux femmes passèrent près de Monceaux, où étaient enfouis sous un lit de chaux les suppliciés de la place de la Révolution :

" C'est bon pendant les froids, dit Julie; mais, au printemps, les exhalaisons de cette terre empoisonneront la moitié de la ville. "

La Thévenin reçut ses deux amies dans un salon antique

dont les canapés et les fauteuils étaient dessinés par David. Des bas-reliefs romains, copiés en camaïeu, régnaient sur les murs, au-dessus de statues, de bustes et de candélabres peints en bronze. Elle portait une perruque bouclée, d'un blond de paille. Les perruques à cette époque faisaient fureur : on en mettait six ou douze ou dix-huit dans les corbeilles de mariage. Une robe " à la cyprienne " enfermait son corps comme un fourreau.

S'étant jeté un manteau sur les épaules, elle mena ses amies et le graveur dans le jardin, que Ledoux lui dessinait et qui n'était encore qu'un chaos d'arbres nus et de plâtras. Elle y montrait toutefois la grotte de Fingal, une chapelle gothique avec une cloche, un temple, un torrent.

" Là, dit-elle, en désignant un bouquet de sapins, je voudrais élever un cénotaphe à la mémoire de cet infortuné Brotteaux des Ilettes. Je ne lui étais pas indifférente. Il était aimable. Les monstres l'ont égorgé : je l'ai pleuré. Desmahis, vous me dessinerez une urne sur une colonne. "

Et elle ajouta presque aussitôt :

" C'est désolant... je voulais donner un bal cette semaine; mais tous les joueurs de violons sont retenus trois semaines à l'avance. On danse tous les soirs chez la citoyenne Tallien. "

Après le dîner, la voiture de la Thévenin conduisit les trois amies et Desmahis au Théâtre Feydeau. Tout ce que Paris avait d'élégant y était réuni. Les femmes, coiffées " à l'antique " ou " à la victime ", en robes très ouvertes, pourpres ou blanches et pailletées d'or; les hommes portant des collets noirs très hauts et leur menton disparaissant dans de vastes cravates blanches.

L'affiche annonçait *Phèdre* et le *Chien du Jardinier*. Toute la salle réclama l'hymne cher aux muscadins et à la jeunesse dorée, le *Réveil du Peuple*.

Le rideau se leva et un petit homme, gros et court,

parut sur la scène : c'était le célèbre Lays. Il chanta de sa belle voix de ténor :

Peuple français, peuple de frères!...

Des applaudissements si formidables éclatèrent que les cristaux du lustre en tintaient. Puis on entendit quelques murmures, et la voix d'un citoyen en chapeau rond répondit, du parterre, par l'*hymne des Marseillais* :

Allons, enfants de la patrie!...

Cette voix fut étouffée sous les huées; des cris retentirent :

" A bas les terroristes! Mort aux jacobins! "

Et Lays, rappelé, chanta une seconde fois l'hymne des thermidoriens :

Peuple français, peuple de frères!...

Dans toutes les salles de spectacle on voyait le buste de Marat élevé sur une colonne ou porté sur un socle; au Théâtre Feydeau, ce buste se dressait sur un piédouche, du côté " jardin ", contre le cadre de maçonnerie qui fermait la scène.

Tandis que l'orchestre jouait l'ouverture de *Phèdre et Hippolyte*, un jeune muscadin, désignant le buste du bout de son gourdin, s'écria :

" A bas Marat! "

Toute la salle répéta :

" A bas Marat! A bas Marat! "

Et des voix éloquentes dominèrent le tumulte :

" C'est une honte que ce buste soit encore debout!

— L'infâme Marat règne partout, pour notre déshonneur! Le nombre de ses bustes égale celui des têtes qu'il voulait couper.

— Crapaud venimeux!

— Tigre!
— Noir serpent! ”
Soudain un spectateur élégant monte sur le rebord de sa loge, pousse le buste, le renverse. Et la tête de plâtre tombe en éclats sur les musiciens, aux applaudissements de la salle, qui, soulevée, entonne debout le *Réveil du Peuple* :

Peuple français, peuple de frères!...

Parmi les chanteurs les plus enthousiastes, Élodie reconnut le joli dragon, le petit clerc de procureur, Henry, son premier amour.

Après la représentation, le beau Desmahis appela un cabriolet, et reconduisit la citoyenne Blaise à l'*Amour peintre*.

Dans la voiture, l'artiste prit la main d'Élodie, entre ses mains :

“ Vous le croyez, Élodie, que je vous aime?
— Je le crois, puisque vous aimez toutes les femmes.
— Je les aime en vous. ”

Elle sourit :

“ J'assumerais une grande charge, malgré les perruques noires, blondes, rousses qui font fureur, si je me destinais à être pour vous toutes les sortes de femmes.
— Élodie, je vous jure....
— Quoi! des serments, citoyen Desmahis? Ou vous avez beaucoup de candeur, ou vous m'en supposez trop. ”

Desmahis ne trouvait rien à répondre, et elle se félicita comme d'un triomphe de lui avoir ôté tout son esprit.

Au coin de la rue de la Loi, ils entendirent des chants et des cris et virent des ombres s'agiter autour d'un brasier. C'était une troupe d'élégants, qui, au sortir du Théâtre-Français, brûlaient un mannequin représentant l'Ami du peuple.

Rue Honoré, le cocher heurta de son bicorne une effigie burlesque de Marat, pendue à la lanterne.

Le cocher, mis en joie par cette rencontre, se tourna vers les bourgeois et leur conta comment, la veille au soir, le tripier de la rue Montorgueil avait barbouillé de sang la tête de Marat en disant : " C'est ce qu'il aimait ", comment des petits garçons de dix ans avaient jeté le buste à l'égout, et avec quel à-propos les citoyens s'étaient écriés : " Voilà son Panthéon ! "

Cependant l'on entendait chanter chez tous les traiteurs et tous les limonadiers :

Peuple français, peuple de frères !...

Arrivée à l'*Amour peintre* :

" Adieu, fit Élodie, en sautant de cabriolet. "

Mais Desmahis la supplia tendrement, et fut si pressant avec tant de douceur, qu'elle n'eut pas le courage de le laisser à la porte.

" Il est tard, fit-elle ; vous ne resterez qu'un instant. "

Dans la chambre bleue, elle ôta son manteau et parut dans sa robe blanche à l'antique, pleine et tiède de ses formes.

" Vous avez peut-être froid, dit-elle. Je vais allumer le feu : il est tout préparé. "

Elle battit le briquet et mit dans le foyer une allumette enflammée.

Philippe la prit dans ses bras avec cette délicatesse qui révèle la force, et elle en ressentit une douceur étrange. Et, comme déjà elle pliait sous les baisers, elle se dégagea :

" Laissez-moi. "

Elle se décoiffa lentement devant la glace de la cheminée ; puis elle regarda, avec mélancolie, la bague qu'elle portait à l'annulaire de sa main gauche, une petite bague d'argent où la figure de Marat, tout usée, écrasée, ne se distinguait plus. Elle la regarda jusqu'à ce que les larmes eussent brouillé sa vue, l'ôta doucement et la jeta dans les flammes.

Alors brillante de larmes et de sourire, belle de tendresse et d'amour, elle se jeta dans les bras de Philippe.

La nuit était avancée déjà quand la citoyenne Blaise ouvrit à son amant la porte de l'appartement et lui dit tout bas dans l'ombre :

« Adieu, mon amour.... C'est l'heure où mon père peut rentrer : si tu entends du bruit dans l'escalier, monte vite à l'étage supérieur et ne descends que quand il n'y aura plus de danger qu'on te voie. Pour te faire ouvrir la porte de la rue, frappe trois coups à la fenêtre de la concierge. Adieu, ma vie! adieu, mon âme! »

Les derniers tisons brillaient dans l'âtre. Élodie laissa retomber sur l'oreiller sa tête heureuse et lasse.

BRODARD ET TAUPIN — IMPRIMEUR - RELIEUR
Paris-La Flèche-Coulommiers. — Imprimé en France.
6615-5-05 - Dépôt légal n° 7439, 2e trimestre 1968.
LE LIVRE DE POCHE - 6, avenue Pierre Ier de Serbie - Paris.
30 - 11 - 0833 - 08

Le Livre de Poche classique

Andersen.
Contes (t. 1), 1114**.
Contes (t. 2), 1382**.

Aristophane.
Comédies, tome 1, 1544**.
Comédies, tome 2, 2018**.

Balzac (H. de).
La Duchesse de Langeais suivi de *La Fille aux Yeux d'or*, 356*.
La Rabouilleuse, 543**.
Une Ténébreuse Affaire, 611*.
Les Chouans, 705**.
Le Père Goriot, 757**.
Illusions perdues, 862***.
La Cousine Bette, 952**.
Le Cousin Pons, 989**.
Splendeurs et misères des Courtisanes, 1085***.
Le Colonel Chabert, 1140*.
La Vieille Fille suivi de *Le Cabinet des Antiques*, 1269**.
Eugénie Grandet, 1414*.
Le Lys dans la Vallée, 1461**.
Le Curé de village, 1563**.
César Birotteau suivi de *La Maison Nucingen*, 1605**.
Béatrix, 1680**.
La Peau de Chagrin, 1701**.
Le Médecin de Campagne, 1997**.
Pierrette suivi de *Le Curé de Tours*, 2110**.
La Recherche de l'Absolu suivi de *La Messe de l'Athée*, 2163**.
La Femme de trente ans, 2201**.

Barbey d'Aurevilly.
Les Diaboliques, 622**.
Le Chevalier des Touches, 2262*.

Baudelaire.
Les Fleurs du Mal, 677*.
Le Spleen de Paris, 1179*.
Les Paradis artificiels, 1326*.

Beaumarchais.
Théâtre, 1721**.

Brantôme.
Les Dames galantes, 804**.

Brasillach.
Anthologie de la Poésie grecque, 1517**.

Cervantes.
Nouvelles Exemplaires, 431**.
Don Quichotte (t. 1), 892**.
Don Quichotte (t. 2), 894**.

César.
La Guerre des Gaules, 1446**.

Chateaubriand.
Mémoires d'Outre-tombe (t. 1), 1327***.
Mémoires d'Outre-tombe (t. 2), 1353***.
Mémoires d'Outre-tombe (t. 3), 1356***.

Choderlos de Laclos.
Les Liaisons dangereuses, 354**.

Constant (B.).
Adolphe suivi de *Cécile*, 360*.

Corneilie.
Théâtre (t. 1), 1202**.
Théâtre (t. 2), 1412**.
Théâtre (t. 3), 1603**.

Dickens (Charles).
De Grandes Espérances, 420**.
Mr. Pickwick (t. 1), 1034**.
Mr. Pickwick (t. 2), 1036**.
Oliver Twist, 1324**.
David Copperfield (t. 1), 1542**.
David Copperfield (t. 2), 1565**.

Diderot.
Jacques le Fataliste, 403*.
Le Neveu de Rameau, 1653**.
La Religieuse, 2077**.

Dostoïevski.
L'Éternel Mari, 353*.
Le Joueur, 388*.
Les Possédés, 695***.
Les Frères Karamazov (t. 1), 825**.
Les Frères Karamazov (t. 2), 836**.
L'Idiot (t. 1), 941**.
L'Idiot (t. 2), 943**.
Crime et Châtiment (t. 1), 1289**.
Crime et Châtiment (t. 2), 1291**.
Souvenirs de la Maison des Morts, 1626**.
L'Adolescent (t. 1), 2121**.
L'Adolescent (t. 2), 2122**.

Dumas (Alexandre).
Les Trois Mousquetaires, 667***.

Vingt Ans après (t. 1), 736**.
Vingt Ans après (t. 2), 738**.
Le Vicomte de Bragelonne (t. 1), 781***.
Le Vicomte de Bragelonne (t. 2), 784***.
Le Vicomte de Bragelonne (t. 3), 787***.
Le Vicomte de Bragelonne (t. 4), 790***.
La Reine Margot, 906***.
La Dame de Monsoreau (t. 1), 914**.
La Dame de Monsoreau (t. 2), 916**.
Les Quarante-cinq (t. 1), 926**.
Les Quarante-cinq (t. 2), 928**.
Monte-Cristo (t. 1), 1119**.
Monte-Cristo (t. 2), 1134**.
Monte-Cristo (t. 3), 1155**.
Joseph Balsamo (t. 1), 2132**.
Joseph Balsamo (t. 2), 2133**.
Joseph Balsamo (t. 3), 2149**.
Joseph Balsamo (t. 4), 2150**.

Eschyle.
Tragédies, 1611**.

Flaubert.
Bouvard et Pécuchet, 440**.
Madame Bovary, 713**.
L'Éducation sentimentale, 1499**.
Trois Contes, 1958*.

Fromentin.
Dominique, 1981**

Gautier (Théophile).
Le Capitaine Fracasse, 707**.

Gobineau.
Adélaïde suivi de *Mademoiselle Irnois*, 469*.
Les Pléiades, 555**.

Goethe.
Les Souffrances du Jeune Werther, 412*.

Gogol.
Les Ames mortes, 472**.

Gorki.
Enfance, 1182**.

Homère.
Odyssée, 602**.
Iliade, 1063***

Hugo (Victor).
Les Misérables (t. 1), 964**.
Les Misérables (t. 2), 966**.
Les Misérables (t. 3), 968**.
Les Châtiments, 1378**.
Les Contemplations, 1444**.
Les Travailleurs de la Mer, 1560***.
Notre-Dame de Paris, 1698***.
Les Orientales, 1969*.
Quatre-vingt-treize (t. 1), 2213**
Quatre-vingt-treize (t. 2), 2266**.

Labiche.
Théâtre (t. 1), 1219**.
Théâtre (t. 2), 1628**.

La Bruyère.
Les Caractères, 1478**.

Laclos (Choderlos de).
Les Liaisons dangereuses, 354**.

La Fayette (Mme de).
La Princesse de Clèves, 374*.

La Fontaine.
Fables, 1198**.
Contes et Nouvelles, 1336**.

La Rochefoucauld.
Maximes et Réflexions, 1530*.

Lautréamont.
Les Chants de Maldoror, 1117**.

Machiavel.
Le Prince, 879*.

Marivaux.
Théâtre (t. 1), 1970**.
Théâtre (t. 2), 2120**.

Mérimée.
Colomba et *Autres Nouvelles*, 1217**.
Carmen et *Autres Nouvelles*, 1480**.

Molière.
Théâtre (t. 1), 1056**.
Théâtre (t. 2), 1094**.
Théâtre (t. 3), 1138**.
Théâtre (t. 4), 1180**.

Montaigne.
Essais (t. 1), 1393**.
Essais (t. 2), 1395**.
Essais (t. 3), 1397**.

Montesquieu.
Lettres Persanes, 1665**.

Musset (Alfred de).
Théâtre (t. 1), 1304**.
Théâtre (t. 2), 1380**.
Théâtre (t. 3), 1431**.
Poésies, 1982**.

Nerval (Gérard de).
Les Filles du Feu suivi de *Aurélia*, 690*.
Poésies, 1226*.

Nietzsche.
Ainsi parlait Zarathoustra, 987**.

Ovide.
L'Art d'Aimer, 1005*.

Pascal.
Pensées, 823**.

Les Provinciales, 1651**.

Petrone.
Le Satiricon, 589*.

Platon.
Le Banquet, 2186**.

Poe.
Aventures d'Arthur Gordon Pym, 484*.
Histoires extraordinaires, 604**.
Nouvelles Histoires extraordinaires, 1055*.
Histoires grotesques et sérieuses, 2173**.

Pouchkine.
La Dame de Pique, 577*.
Récits, 1957**.

Prévost (Abbé).
Manon Lescaut, 460*.

Rabelais.
Pantagruel, 1240**.
Gargantua, 1589**.
Le Tiers Livre, 2017**.

Racine.
Théâtre (t. 1), 1068**.
Théâtre (t. 2), 1157**.

Retz (Cardinal de).
Mémoires (t. 1), 1585**.
Mémoires (t. 2), 1587**.

Rimbaud.
Poésies complètes, 498*.

Ronsard.
Les Amours, 1242**.

Rousseau.
Confessions (t. 1), 1098**.
Confessions (t. 2), 1100**.
Les Rêveries du Promeneur solitaire, 1516*.

Shakespeare.
Trois Comédies, 485**.
Roméo et Juliette suivi de *Le Marchand de Venise* et de *Les Deux Gentilshommes de Vérone*, 1066**.
Hamlet-Othello-Macbeth, 1265**.

Sophocle.
Tragédies, 1369**.

Stendhal.
Le Rouge et le Noir, 357**.
Lucien Leuwen, 562***.
Lamiel suivi de *Armance*, 766**.
La Chartreuse de Parme, 851**.
Chroniques italiennes, 1271**.

Stevenson.
L'Ile au Trésor, 756*.

Suétone.
Vies des douze Césars, 718**.

Swift.
Instructions aux Domestiques, 471*.
Voyages de Gulliver, 1302**.

Tacite.
Histoires, 1112**.

Tchékhov.
La Cerisaie suivi de *La Mouette*, 1090*.
Oncle Vania suivi de *Les Trois Sœurs*, 1448*.
Ivanov et *Autres pièces*, 1682**.
Ce Fou de Platonov et *Autres pièces*, 2162**.

Thucydide.
La Guerre du Péloponnèse (t. 1), 1722**.
La Guerre du Péloponnèse (t. 2), 1723**.

Tolstoï.
La Sonate à Kreutzer suivi de *La Mort d'Ivan Ilitch*, 366*.
Anna Karénine (t. 1), 636**.
Anna Karénine (t. 2), 638**.
Enfance et Adolescence, 727*.
La Guerre et la Paix (t. 1), 1016***.
La Guerre et la Paix (t. 2), 1019***.
Les Cosaques, 1399*.
Nouvelles, 2187**.

Tourgueniev
Premier Amour, 497*.

Vallès (Jules).
L'Enfant, 1038**.
Le Bachelier, 1200**.
L'Insurgé, 1244**.

Verlaine.
Poèmes Saturniens suivi de *Fêtes galantes*, 747*.
La Bonne Chanson suivi de *Romances sans paroles* et de *Sagesse*, 1116*.
Jadis et Naguère. Parallèlement, 1154*.

Vigny.
Servitude et Grandeur militaires, 1515*.
Poésies, 2179.

Villon.
Poésies complètes, 1216*.

Virgile.
Enéide, 1497**.

Voltaire.
Romans, 657**.

XXX
Tristan et Iseut, 1306*.

5

71 499 G P 128 30/0833/1

précédemment parus, du même auteur :

La Rôtisserie de la Reine Pédauque

L'Ile des pingouins

Le Lys rouge

L'Orme du Mail

Le Mannequin d'osier

L'Anneau d'améthyste

M. Bergeret à Paris

Le Crime de Sylvestre Bonnard

Les contes de Jacques Tournebroche

IMPRIMÉ EN FRANCE